삶으로 증명하라

하나님의 존귀한 자녀 태연아! ☺

방학에만 가끔씩 보게 되는 너이지만,
볼 때마다 참 하나님 앞에 올바르게 서 있는 친구인것
같다는 느낌을 참 많이 받았어.
이미 너의 삶을 통해 그리스도의 향기가 널리
퍼져가고 있지만 이 책이 조금이나마 더 도움이 되었으면 해△
벌써 2012년의 마지막 날이네..
2013년 밝아오는 새 해에도 언제나 지금처럼
하나님의 사랑과 은혜를 마음껏 누리는 삶 되길
축복해! God Bless You ♡
해피 뉴 이어!! ☺

                              2012. 12. 31
                        — 믿음의 친구. 미현 ☺ —

이찬수 지음

규장

철저하게 하나님을 의지하라,
주어진 사명을 성실히 감당하라!

2012년 런던올림픽이 한창이던 어느 날, 신문에 실린 세 컷의 사진이 내 마음을 울렸다. 장미란 선수가 역도에서 메달 획득에 실패한 직후 찍힌 사진이었다. 한 컷은 그동안 동고동락해온 바벨에 손 키스를 하는 장면이었고, 또 한 컷은 바벨을 손바닥으로 토닥거리는 사진이었다. 그리고 마지막 사진은 바벨 위에 손을 얹은 채 기도하는 모습이었다. 아마도 생애 마지막 올림픽에서의 마지막 경기에 대한 남다른 감회를 표현한 것 같다.

그동안 태릉선수촌에서 올림픽을 준비하던 장미란 선수에 관한 이야기를 종종 들었다. 그렇기 때문에 그 사진이 나에게 남다르게 다가왔다. 2년 전, 교통사고를 당하면서 생긴 후유증으로 어깨와 허리, 골반 통증을 앓아오면서 전반적으로 최상의 컨디션을 발휘할 수 있는 몸 상태가 아니었다고 한다. 그런 중에도 장미란 선수는 누구보다 성실하게 훈련에 임했고, 철저하게 하나님을 의지하는 자세를 잃지 않았다. 메달 획득에 실패한 직후 장미란 선수는 이렇게 말했다.

"역도는 정직한 운동이다. 훈련에서 들어 올렸던 중량 딱 그만큼 들었다. 그래도 최선을 다했기에 응원해주신 분들에게 부끄럽지 않다.”

오래 전, 교회를 개척한 지 얼마 안 되었을 때 지금은 돌아가신 옥한흠 목사님을 찾아 뵙고 간곡히 부탁드린 적이 있다.

“목사님, 단독 목회를 시작하는 저에게 꼭 필요한 조언을 해주세요.”

그러자 목사님은 단호하게 이렇게 말씀하셨다.

“설교 준비가 안 된 채로 절대 강단에 서지 마라. 그것만큼 위험한 일이 없다. 한 번 그렇게 준비 없이 강단에 섰다가 망신을 당하고 수치를 당한다면 그것만큼 복된 일은 없다. 하지만 대개는 그동안 해오던 관록이 있기 때문에 설교 준비 없이 강단에 서도 별 문제 없이 말씀을 전할 수 있다. 그러나 그것이 가장 위험하고 무서운 일이다.”

벌써 10년 전의 일이지만, 나는 지금도 그 조언을 또렷이 기억한다. 목회에 있어서 성령님의 도우심과 은혜는 물론이고 목회자 자신의 희생적인 수고와 노력이 얼마나 중요한지 정확하게 깨달을 수 있었던 조언이었기 때문이다.

교통사고 후유증 속에서도 철저히 하나님을 의지하는 한편 훈련을 게을리 하지 않았던 장미란 선수의 모습과 평생 하나님을 의지하는 동시에 설교 준비하는 데 조금도 소홀한 모습을 보이지 않으셨던 옥한흠 목사님의 모습이 내 머릿속에서 겹쳐 보였다. 두 사람 모두 철저히 하나님을 의지하는 가운데 삶으로 주님의 말씀을 살아내기 위한 수고와 노력과 인내를 아끼지 않았기 때문일 것이다. 그 삶이 우리에게 증거가 된다.

성령님의 전적인 은혜와 도우심, 그리고 성령님을 의지하여 삶에서 수고함으로 열매를 맺는 것, 이 두 가지의 균형이 이 책《삶으로 증명하라》에서 말하고자 하는 메시지의 핵심이다.

> 오직 성령의 열매는 사랑과 희락과 화평과 오래 참음과 자비와
> 양선과 충성과 온유와 절제니 이 같은 것을 금지할 법이 없느
> 니라 갈 5:22,23

성령의 아홉 가지 열매는 그 사람의 인격을 보여주는 동시에 그 사람의 영성을 알 수 있는 척도이기도 하다. 우리가 추구해야 할 가장 중요한 영성이 '예수님의 인격을 닮는 것'이라면, 이 성령의 아홉 가지 열매에 그 구체적인 모습이 다 담겨 있다. 우리는 성령의 열매를 맺기 위해 철저히 성령님을 의지해야 한다. 그리고 끊임없는 믿음의 결단과 순종으로 삶 속에서 그 열매를 나타내고 흘려보내야 한다. 성령의 열매를 묵상하다 보면 늘 내 마음에 울리는 하나님의 메시지가 있다.

"성령의 열매를 맺게 하는 주체는 네가 아니라 성령이란다. 그러므로 성령의 열매는 성령을 인정하고 의지하는 자에게 주는 선물임을 반드시 기억해야 한다. 그리고 네게 주어진 삶의 영역에서 너의 사명을 감당하기 위해 최선을 다하라. 성령이 너를 도울 것이다."

이 음성을 느낄 때마다 나는 다시 한 번 사명을 향해 달려가기 위해 두 손에 힘을 불끈 쥐곤 한다. 그리고 주님의 도우심을 의지하기 위해 한 번 더 주님 앞에 무릎 꿇는다.

그리스도인은 삶으로 그리스도의 향기를 나타내야 한다. 우리는 연약하지만 성령님을 의지할 때 우리의 삶 속에서 성령의 열매를 나타내고 흘려보낼 수 있다. 그 은혜가 우리 모두에게 있기를 바란다.

부족하지만 다시 책을 세상에 내놓는다. 이 책을 통해 모든 독자들이 '성령의 아홉 가지 열매'에 대한 진정한 의미를 깨닫고 그 풍성한 은혜를 삶 속에서 누릴 수 있게 되기를 바란다. 책이 나올 때마다 수고를 아끼지 않는 규장의 여진구 대표와 편집부 직원들에게 감사드린다. 그리고 부족함이 많은 나를 사랑으로 섬겨주는 분당우리교회 모든 성도들에게 깊이 감사드린다. 그 사랑은 내 평생을 다해도 못 갚을 사랑의 빚이다.

이찬수 목사

프롤로그

인트로   하나님은 열매로 평가하신다

part 1 내면에서 흘러나오는 진정한 능력

part 2 삶으로 증명되는 진짜 영향력

part 3 세상을 이기는 참된 비결

하나님은
열매로 평가하신다

성경에서 '열매'는 무척 중요한 개념이다.

그러므로 회개에 합당한 '열매'를 맺고 마 3:8

나는 포도나무요 너희는 가지라 그가 내 안에, 내가 그 안에 거
하면 사람이 '열매'를 많이 맺나니 나를 떠나서는 너희가 아무
것도 할 수 없음이라 요 15:5

예수 그리스도로 말미암아 의의 '열매'가 가득하여 하나님의
영광과 찬송이 되기를 원하노라 빌 1:11

무릇 징계가 당시에는 즐거워 보이지 않고 슬퍼 보이나 후에 그
로 말미암아 연단 받은 자들은 의와 평강의 '열매'를 맺느니라
히 12:11

이밖에도 성경 여러 곳에서 '열매'라는 구체적인 개념으로 추상적

인 영적 개념을 설명하는 것을 볼 수 있다. 이 책에서 우리가 살펴보려는 갈라디아서 5장 22,23절 말씀도 마찬가지다.

> 오직 성령의 열매는 사랑과 희락과 화평과 오래 참음과 자비와
> 양선과 충성과 온유와 절제니 이 같은 것을 금지할 법이 없느
> 니라 갈 5:22,23

하나님은 열매로 평가하신다

여기서 중요한 것은 이것이다. 하나님께서 우리의 영적 상태를 점검하고 평가하실 때, 그 사람이 얼마나 화려한 꽃을 피웠는지 겉으로 드러나는 것으로 평가하지 않으시고 그 사람이 맺고 있는 내적인 열매로 평가하신다는 것이다. 이것이 바로 마태복음 7장에서 하신 주님의 말씀의 요지이다.

> 거짓 선지자들을 삼가라 양의 옷을 입고 너희에게 나아오나 속
> 에는 노략질하는 이리라 그들의 열매로 그들을 알지니 가시나

무에서 포도를, 또는 엉겅퀴에서 무화과를 따겠느냐 이와 같이

좋은 나무마다 아름다운 열매를 맺고 못된 나무가 나쁜 열매를

맺나니 좋은 나무가 나쁜 열매를 맺을 수 없고 못된 나무가 아

름다운 열매를 맺을 수 없느니라 아름다운 열매를 맺지 아니하

는 나무마다 찍혀 불에 던져지느니라 이러므로 그들의 열매로

그들을 알리라 마 7:15-20

따라서 우리는 현재 겉으로 드러나 보이는 모습에 집중할 것이 아

니라 그 사람의 발자취가 남긴 참된 내적 열매를 주목해서 봐야 한다.

'성령의 열매'를 다루는 갈라디아서 5장 22,23절 말씀 역시 이런 맥락

에서 깊이 묵상하고 면밀히 살펴야 한다. 왜냐하면 이 각각의 열매들

이 그리스도인으로서 우리의 삶을 말해주는 내적 지표가 될 것이기

때문이다.

이 책 전반에 걸쳐서 성령의 아홉 가지 열매 각각에 대해 깊이 살펴

보겠지만, 여기서는 그에 앞서 성령의 열매를 맺는 것에 대한 전제와

전체적인 내용을 살펴보자.

여전히 살아 있는 육체의 소욕

내가 이르노니 너희는 성령을 따라 행하라 그리하면 육체의 욕

심을 이루지 아니하리라 육체의 소욕은 성령을 거스르고 성령

은 육체를 거스르나니 이 둘이 서로 대적함으로 너희가 원하는

것을 하지 못하게 하려 함이니라 갈 5:16,17

이 말씀에서 우리가 알아야 할 것은, 아무리 성령충만한 사람이라 할지라도 육체의 소욕에서 자유로울 수 없다는 것이다. 오히려 성령 충만한 사람일수록 영적 전쟁의 전면에 노출되어 성령을 거스르기 원하는 육체의 소욕의 공격이 더욱 극심해지기 마련이다. 이것이 성령의 열매를 맺는 데 있어서 우리가 기억해야 할 대전제이다. 이 사실을 기억하지 않으면 우리 내면에서는 자신의 힘으로 성령의 열매를 맺어 보려는 교만한 시도가 싹트기 시작한다. 그러나 성령의 열매는 결코 우리의 힘으로 맺을 수 없는 것이다.

예를 들어, 바울을 한번 보라. 위대한 사도였던 그가 로마서에서 뭐라고 고백하고 있는가? 아마 당시 그의 편지를 읽은 사람들은 꽤나 충격을 받았을 것이다.

내가 원하는 바 선은 행하지 아니하고 도리어 원하지 아니하는 바 악을 행하는도다 만일 내가 원하지 아니하는 그것을 하면 이를 행하는 자는 내가 아니요 내 속에 거하는 죄니라 … 내 속사람으로는 하나님의 법을 즐거워하되 내 지체 속에서 한 다른 법이 내 마음의 법과 싸워 내 지체 속에 있는 죄의 법으로 나를 사로잡는 것을 보는도다 롬 7:19-23

사도 바울은 자신이 행하고자 하는 선은 행하지 못하고 행하고 싶지 않은 악을 행할 수밖에 없는 존재임을 탄식한다. 그러면서 그런 자신을 절망하며 이렇게 울부짖는다.

오호라 나는 곤고한 사람이로다 이 사망의 몸에서 누가 나를 건져내랴 롬 7:24

당시 사도 바울을 대 사도로 신뢰하며 따랐을 사람들이 이런 그의 나약한 고백에 얼마나 충격을 받았겠는가? 어쩌면 '뭐야? 바울도 나랑 별 다를 게 없잖아?' 하고 실망하고 그를 떠난 사람이 있을지도 모르겠다. 그러나 바로 이 모습이 사도 바울의 위대함이다. 사람들이 자신을 아무리 추종하고 떠받들며 위대한 사람이라고 부추겨도 그는 자기 자신의 내면에 대해 철저히 정직했다.

완벽할 수 없다면 정직하라

우리는 하나님 앞에 정직해야 한다. 특히 나 같은 목회자나 지도자들은 더욱 정직해야 한다. 간혹 잘 알려진 목회자들이 한순간에 실족해서 많은 사람들을 혼란에 빠뜨리는 일도 이것의 실패에서 기인한다.

그렇기 때문에 우리는 하나님과 사람 앞에서 자신의 약함과 악함을 정직하게 시인해야 한다. 우리가 아무리 성령충만하다 해도 내 안에는 여전히 사라지지 않는 육체의 소욕이 있음을 정직하게 인정하고 자신의 내면세계를 바라봐야 한다. 그래야 조심할 수 있다. 그래야 성령님을 의지할 수 있다. 성령님의 손을 붙잡고 마치 살얼음판을 걷는 것처럼 한발 한발 조심스럽게 발을 내딛어야 육체의 소욕의 공격에서 자유로울 수 있다.

나는 우리 교회 모든 교역자들에게 이렇게 당부한다.

"여 전도사님들은 남자 교역자들과 함께 심방 갈 때 자동차 옆자리에 앉지 마시고 뒷자리에 앉으시면 좋겠습니다."

이 때문에 간혹 성도들에게 오해를 사기도 한다. 목사가 운전하는 차의 뒷자리에 여 전도사가 앉아 가는 모습이 그리 좋아 보이지 않다는 것 때문이다. 아마도 '뒷좌석은 사장님 자리'라는 인식 때문인 것 같다. 그러나 그런 것이 아니다.

나 역시 내가 운전하는 차에 가급적이면 여성을 태우지 않는다. 여성도 혼자 계신 집에는 절대로 심방도 가지 않고, 심지어 여성과는 악수도 잘 하지 않는 편이다. 내가 이렇게까지 하는 이유가 무엇인가? 우리 교회 성도들을 믿지 못해서가 아니다. 나를 믿지 못하기 때문이다. 사도 바울 같은 위대한 사도도 자기 안에 악을 부추기는 세력이 자리 잡고 있다면서 자기를 믿지 못하는데, 하물며 나 같은 평범한 사람이야 오죽하겠는가? 아무리 성령충만하다 해도 우리 안에는 나를 무너지게 하려는 악한 육체의 소욕이 여전히 도사리고 있음을 인식해야 한다. 그리고 그것을 솔직하게 인정하고 조심하는 수밖에 없다.

그래도 승리한다!

우리는 이렇듯 날마다 긴장하고 조심하며 살아야 하지만, 다른 한편으로 승리에 대한 확신을 가지고 살아야 한다. 왜냐하면 성령님이 나와 함께하시고 도와주시기 때문이다. 경계하는 마음과 승리에 대한 확신, 이 두 가지가 균형을 이뤄야 하는 것이다.

> 육체의 '소욕'은 성령을 거스르고 성령은 육체를 거스르나니
> 이 둘이 서로 대적함으로 너희가 원하는 것을 하지 못하게 하려
> 함이니라 갈 5:17

여기서 '소욕'은 영어로 'passion', 즉 '열정'이란 단어이다. 따라서 '소욕'이란 단어 자체는 악한 것도 아니고 선한 것도 아닌 가치중립적인 단어이다. 소욕이 악한 육신과 함께하면 악하게 되고, 성령과 함께하면 선한 것이 된다. 그래서 개역한글성경에는 "육체의 소욕은 성령을 거스리고 성령의 소욕은 육체를 거스리나니"라고 하여 '육체의 소욕'과 '성령의 소욕'이라는 표현을 함께 사용했다.

우리를 괴롭히는 악한 것들이 얼마나 열정적이고 부지런한가? 육체의 소욕은 나를 무너뜨리기 위해 잠도 안 잔다. 꿈속에까지 쫓아와서 끊임없이 애를 쓴다. 그토록 열정적이기에 육체의 '소욕'(passion)인 것이다. 그러나 우리를 무너뜨리기 위한 육체의 소욕이 열정적인 것과 마찬가지로, 아니 그보다 더한 열정으로 성령님이 우리를 보호하고

이끌어주신다. 이런 성령님의 열정이 우리에게 큰 힘과 위로가 된다.

사실 나같이 부족한 것 많은 사람이 지금껏 큰 실수 없이 목회할 수 있었던 것 자체가 전적으로 성령님의 열정적인 인도하심 덕분이다. 나는 그저 성령님께 붙어 있을 뿐이다. 내가 한 것은 아무것도 없다. 성령님께 딱 붙어 있으면 성령님의 열정이 나를 날마다 보호하고 인도해주신다. 나는 이것을 매일 경험한다. 나뿐 아니라 우리 모두가 날마다 성령님을 의지하여 우리 생애에 이 말씀을 구현해내야 한다.

> 내가 이르노니 너희는 성령을 따라 행하라 그리하면 육체의 욕
> 심을 이루지 아니하리라 갈 5:16

내가 싸우는 것이 아니다. 내가 뭔가를 애써서 해야 하는 것이 아니다. 나는 그저 성령님 편에 붙어 있으면 된다. 내가 성령님을 따라 행하면 내 생애에 육체의 소욕으로 수치의 자리에 빠지는 일이 없다는 것이다. 얼마나 소망 가득한 말씀인가? 이 말씀을 구현해내는 것이 우리 삶의 목표가 되어야 한다. 이런 차원에서 우리가 평생의 삶을 통해 맺어야 하는 '성령의 열매'를 살펴보자.

성령의 열매는 어떻게 맺을 수 있는가?

단도직입적으로 말해서 성령의 열매는 성령님을 의지해야 맺을 수 있다. 너무 당연하고 상식적인 말인가? 이렇게 당연한 말을 강조하는

이유가 있다. 그것은 갈라디아서의 배경 때문이다.

갈라디아교회를 개척했던 바울은 시간이 흐르자 갈라디아교회를 떠나 새로운 지역으로 옮겨갔다. 만약 내가 몇 년이 지나 분당우리교회를 떠나 다른 지역으로 옮기거나 아니면 다른 나라의 선교사로 떠난다면 어떨까? 생각만 해도 슬프다. 물론 하나님의 뜻을 좇아 기쁨으로 순종하겠지만 교회를 향한 애정과 염려와 관심은 여전할 것이다. 바울도 마찬가지였을 것이다. 비록 몸은 떠나 있었지만 마음은 온통 갈라디아교회에 쏠려 있지 않았겠는가?

'내가 없어도 잘하고 있을까? 어떻게 지내고 있을까? 잘하고 있겠지?'

이러면서 바울은 갈라디아교회에서 전해오는 소식에 온통 촉각을 곤두세우고 있었을 것이다. 그러나 안타깝게도 들려오는 소식이 너무 슬픈 내용뿐이었다.

바울이 떠난 후에 유대주의자들이 갈라디아교회에 침투해 들어왔다. 그들은 바울이 가르친 '오직 은혜'만으로는 구원 받을 수 없고 할례를 받아야 한다고 가르쳤다. 율법을 강조하고 행위 없이는 구원 받을 수 없다고 가르치는 유대주의자들의 거짓 교훈에 갈라디아교회 성도들이 다 넘어졌다. 바울의 마음이 얼마나 아팠겠는가? 그 슬픈 마음을 가지고 갈라디아교회 성도들을 향해 쓴 편지가 바로 갈라디아서이다.

그래서 갈라디아서를 보면 '오직 은혜, 오직 믿음'이 얼마나 강조되고 있는지 모른다. 이런 배경에서 갈라디아서 5장에 언급된 '성령의 열매'를 보면 무엇을 알 수 있는가? 성령의 열매는 우리의 자력으로는 절대로 맺을 수 없다. 반드시 성령님을 의지해야만 맺을 수 있는 열매다. 이 사실이 지극히 당연한 것 같지만 반드시 기억해야 할 중요한 이유가 바로 여기에 있다.

이 부분을 묵상하면서 담임목회를 하고 있는 분당우리교회와 지난 나의 목회를 돌아보게 되었다. 사실 시대적인 상황 때문에 강단에서 나는 행위를 많이 강조하는 편이다.

"성경에 밑줄 긋는 것도 중요하지만 삶 속에 밑줄 긋는 것이 더 중요하다! 그리스도인이라면 더더욱 도덕적이고 윤리적으로 살아야 한다! 정직해야 한다!"

이런 선포가 시도 때도 없이 울려 퍼진다. 그러나 이것에 대해 오해하는 일이 있어서는 안 된다. 내가 아무리 행위의 중요성을 강조한다 해도 그것은 행위를 통해 구원 받는 것을 말하는 것이 절대 아니다. 구원은 오직 믿음으로 받는다. 심지어 선한 행위조차 내가 의지를 가지고 주님 앞으로 나아갈 때 주님이 선을 행할 수 있는 힘을 부어주시는 것이지, 결코 내 안에서 나오는 것이 아니다. 행위를 강조하다가 이것이 도를 넘어서 행위 구원으로까지 가게 되면 이 강단은 변질된 강단이다. 우리가 붙잡을 것은 행위가 아니라 오직 은혜이다. 오직 성령으로부터 기인하는 열매, 이것이 곧 '성령의 열매'이다.

성령의 열매는 하나다

그렇다면 성령의 열매는 구체적으로 어떤 특징이 있는가? 첫째, 각각의 열매들이 하나같이 인격적이라는 것이고, 둘째, 관계 지향적이라는 것이다.

오직 성령의 열매는 사랑과 희락과 화평과 오래 참음과 자비와

양선과 충성과 온유와 절제니 갈 5:22,23

사랑, 희락, 화평, 오래 참음, 자비, 양선, 충성, 온유, 절제 각각의 성령의 열매가 다 인격적이고 다른 사람과의 관계에서 이루어질 수 있는 관계 지향적인 것 아닌가? 그런데 여기서 한 가지 재미있는 사실을 발견할 수 있다.

갈라디아서 5장을 보면 '성령의 열매'를 '육체의 일'과 대조하여 보여주고 있는데, '육체의 일'은 내용이 이렇다.

육체의 일은 분명하니 곧 음행과 더러운 것과 호색과 우상 숭배

와 주술과 원수 맺는 것과 분쟁과 시기와 분 냄과 당 짓는 것과

분열함과 이단과 투기와 술 취함과 방탕함과 또 그와 같은 것들

이라 갈 5:19-21

한글 성경에는 '육체의 일'이라고 단수로 표현되어 있지만, 이 부분을 원어로 살펴보면 '육체의 일들'이라는 뜻의 복수형으로 표기되어 있다. 영어성경 역시 이 부분을 "The 'acts' of the sinful nature"이라고 복수로 표현한다.

흥미로운 사실은 '육체의 일'과 대조되어 아홉 가지로 열거되는 '성령의 열매'가 원어로는 복수가 아닌 단수로 표현되어 있다는 점이다. 이것이 무엇을 의미하는가? 성령의 아홉 가지 열매는 아홉 가지 각각의 항목이 아니라 사실은 하나라는 것이다. 그것이 무엇인가? 성령의 열매가 추구하는 것은 예수 그리스도의 인격을 닮는 것, 그 하나이다. 그 하나, 예수님의 인격을 닮는 그 하나의 열매에 아홉 가지 양상이 펼쳐지는 것이다.

그렇기 때문에 우리가 기억해야 할 것은, 성령충만한 사람은 이유 여하를 막론하고 주님의 인격을 닮은 사람, 주님의 성품을 닮은 사람이라는 사실이다. 우리가 아무리 능력이 있고 놀라운 은사들을 많이 받았다 해도 그것이 진짜로 성령의 은사인지 분별하는 첫 번째 잣대는 '그 사람이 예수님의 인격을 닮았는가?'이다. 만약 하나님께서 내게 가르치는 은사도 주시고 목회 잘할 수 있는 각종 은사를 주셨더라도 내가 인격적이지 않고 교역자들과 성도들을 함부로 대하며 삶 속에서 거짓말을 밥 먹듯이 한다면 결론적으로 나는 성령의 사람이 아닌 것이다. 우리가 추구해야 할 것은 성령의 아홉 가지 열매 각각의 것 모두가 아니라 오직 한 가지이다.

너희 안에 이 마음을 품으라 곧 그리스도 예수의 마음이니 빌 2:5

바로 이 말씀에서 제시하고 있는 '그리스도 예수의 마음'을 품는 것, 즉 예수님의 인격을 닮는 것이 이 땅의 모든 그리스도인이 추구해야 할 단 하나의 목표이자 맺어야 할 단 하나의 열매이다.

성령의 열매는 관계 속에서 맺힌다

성령의 열매가 이처럼 인격적이어서 예수님의 인격을 닮는 것 한 가지로 점철되는 한편, 또 다른 특징은 관계 지향적이라는 것이다. 사도 바울은 갈라디아서 5장에서 성령의 아홉 가지 열매를 열거한 후에 그 말씀의 결론을 이렇게 맺고 있다.

만일 우리가 성령으로 살면 또한 성령으로 행할지니 헛된 영광

을 구하여 서로 노엽게 하거나 서로 투기하지 말지니라

갈 5:25,26

이 말씀의 결론이 무엇인가? "성령충만하여 세상과 담을 쌓고 산으로 들어가라"인가? 아니다. 지극히 세속적인 이 세상 속에서 성령충만하여 서로 다투지 말고 질투하지 말라는 것이다. 이것이 성경의 교훈이다.

그런데 우리는 지금까지 이 부분에서 방향을 너무나 잘못 잡아왔

다. 성령의 사람은 산 속에 들어가 혼자 사는 사람이 아니다. 성령의 사람은 지극히 상식적인 사람이다. 무례하지 않은 사람이다. 성령의 사람은 다른 사람을 함부로 괴롭히거나 비방하거나 수군거리지 않는다. 성령의 사람은 결코 세상 질서를 거스르는 사람이 아니다. 나는 우리 그리스도인들이 다 성령의 사람이 되기를 바란다. 세상 누구보다 그리스도인들이 인격의 사람, 상식이 통하는 사람, 세상 질서를 잘 지키는 사람, 나보다 남을 더 배려하는 사람, 공동체적인 성장 마인드를 가진 성령의 사람이 되기를 바란다.

유명한 상담학자 폴 투르니에(Paul Trurnier)는 이런 말을 했다.

"사람이 혼자 할 수 없는 일이 두 가지 있다. 하나는 결혼이고, 또 하나는 그리스도인이 되는 것이다."

정말 중요한 메시지이다. 우리가 그리스도인이 된다는 것은 관계 지향적인 사람이 된다는 것이다.

공동체 안에서 흘려보내야 한다

이런 맥락에서 나는 가끔씩 인터넷으로 드려지는 예배, 인터넷에 올라가는 설교에 대해 깊은 갈등을 느낀다. 내가 교회 강단에서 선포하는 말씀은 눈에 보이는 공동체에 전하는 말씀이지 눈에 보이지 않는 수많은 대중에게 하는 설교가 아니다. 그렇다 보니 내가 한 설교가 인터넷이나 스마트폰 등을 통해 많이 전해진다는 이야기를 들을 때마다 갈등이 생기는 것이다. 왜냐하면 인터넷으로만 예배드리는 것, 인터넷으로 설교 듣는 것이 온전한 신앙생활, 온전한 교회생활이 아니기 때문이다. 인터넷을 통해 은혜를 받았다 하더라도 교회 공동체로 돌아가야 한다. 공동체 생활을 해야 한다. 성령의 열매는 공동체 지향적이며 관계 지향적이기 때문이다. 이것을 반드시 명심하고 기억해야 한다.

> 서로 돌아보아 사랑과 선행을 격려하며 모이기를 폐하는 어떤 사람들의 습관과 같이 하지 말고 오직 권하여 그날이 가까움을 볼수록 더욱 그리하자 히 10:24,25

이 말씀은 모이기를 폐하는 어떤 사람들의 습관을 따라 해서는 안된다고 단호히 말한다. 공동체 모임에 참석해야 한다. 그 모임이 매력적이거나 좋은 사람이 많아서가 아니다. 공동체 모임이 우리에게 반드시 필요하기 때문이다. 보기 싫은 사람을 대면하는 훈련을 해야 한다. 성령의 능력으로 그 사람을 품을 수 있을 때까지 기도하고 사랑하면서 연습하고 훈련하는 곳이 공동체 모임이다.

목회를 하면서 교회를 생각하면 가슴 아픈 것이 몇 가지 있는데, 그 중 하나가 성도들이 외로워한다는 소리가 들려오는 것이다. 마음이 힘든데 아무도 손 내밀어주는 사람이 없다는 것이다. 이런 소리를 들을 때마다 담임목사로서 미안한 마음과 부끄러운 마음에 어쩔 줄 모르겠다.

교회 성도들이 마음이 외롭고 어렵다면 그것은 다 담임목사 잘못 만나서 그런 것이다. 교회가 담임목사의 영성으로 말씀이 풍성해지고 예배 때마다 성령의 강한 은혜와 하나님의 긍휼을 경험하고 누린다면, 주변의 외로운 사람을 외로운 채로 그대로 방치할 수 없다. 그것이 교회의 실력이다. 우리는 받은 은혜를 우리 안에 고이도록 그냥 방치해서는 안 된다. 우리는 관계 지향적인 성령의 열매를 마음에 품었으면 연약한 이웃에게로 흘려보내야 한다. 사랑의 손길을 펼쳐야 한다. 내 안에 충만한 은혜에 물꼬를 터서 밖으로 흐르게 해야 하는 것이다.

열매의 풍성함을 세상으로 흘려보내라

2012년 2월, 강영우 박사가 세상을 떠났다. 그는 동양인이자 시각장애인이라는 핸디캡을 딛고 미국 백악관 정책차관보까지 지냈다. 그런데 2011년 말 이분에게 청천벽력 같은 사형선고가 떨어졌다. 췌장암 말기로 남은 시간이 한 달 내지 두 달밖에 없다는 선고였다. 얼마나 당황스러웠겠는가? 그런데 독실한 크리스천이었던 이분이 정말로 감동스러운 모습을 보여주었다. 그중 하나가 죽음에 대한 초연한 태도였다.

의사는 수술에 성공하면 2년 정도 생명을 연장할 수 있다며 수술을 권했지만 강영우 박사가 이를 거절했다고 한다. 수술에 성공하기도 어려울뿐더러 그렇게 구차하게 목숨을 연장하고 싶지 않다는 이유에서였다. 그러면서 그는 자기 인생을 정리하기 시작하는데, 가까운 지인들에게 이메일을 보내 자신의 임박한 죽음에 대해 너무도 담담하게 전했다. 그 메일이 많은 사람들에게 감동을 주었다. 그중 일부분만 소개하면 다음과 같다.

여러분들이 저로 인해 슬퍼하시거나, 안타까워하지 않으셨으면 하는 것이 저의 작은 바람입니다. 아시다시피, 저는 누구보다 행복하고 축복받은 삶을 살아오지 않았습니까? 끝까지 하나님의 축복으로 이렇게 하나, 둘 주변을 정리하고 사랑하는 사람들에게 작별 인사할 시간도 허락받았습니다. 한 분 한 분 찾아뵙고 인사드려야 하겠지만, 그렇게 하지 못하는 점 너그러운 마음으로 이해해주시기를 바랍니다. 여러분으로 인해 저의 삶이 더욱 사랑으로 충만하였고, 은혜로웠습니다. 감사합니다.

육신의 눈으로 볼 때 죽음은 공포요 좌절이요 절망이다. 그러나 다음 세상을 믿는 하나님의 사람에게는 이것이 결코 절망에 그치는 일만은 아니라는 사실을 강영우 박사는 알았던 것이다. 그가 어느 인터뷰에서 기자에게 한 말이다.

어쨌든 저는 신앙인입니다. 다음 세상을 믿는 사람이지요. 제가 가장 좋아하는 말은 레이건 전(前) 대통령의 어머니가 레이건에게 해주었다는 말입니다. "오늘 너에게 생긴 나쁜 일이 내일의 좋은 일이 될 것이다." 죽음이라는 게 사람에게는 가장 나

뻔 일일 수도 있겠지요. 하지만 그 다음에 더 좋은, 가장 좋은 일이 있을 수 있다는 얘기도 될 거예요. 전 그렇게 믿습니다.

강영우 박사와 인터뷰했던 기자는 기사에 이렇게 썼다.

아주 솔직하게 말씀드리면 두 분(강영우 박사와 그의 아내 석은옥 여사)의 그런 모습이 조금 무서웠습니다. 보통 사람들의 모습과 너무 달랐기 때문입니다. 그리고 존경스러워졌습니다. 적어도 죽음을 대하는 그 자세는 인생의 마지막을 통보 받고도 흔들리지 않는, 그리고 감사하다는 말을 잊지 않는 강 박사의 모습은 제가 범접하기 어려운 경지였습니다.
"시력을 잃은 것도 축복이었죠. 그 덕분에 더 열심히 살 수 있었습니다. 장애라는 것을 지옥으로 생각하면 그대로 된답니다. 그걸 축복으로 여기면 놀라운 일이 생기죠. 무엇보다 만남의 축복이 옵니다."
이렇게 만남의 축복을 인생의 성공 조건으로 꼽았던 말도 오래 오래 기억에 남을 것 같습니다.

죽음을 앞에 두고 그 분이 우리에게 보여준 태도는 참으로 놀랍고 귀한 모습이었다. 그로부터 일주일 뒤, 신문에 이분에 대한 기사가 하나 더 실렸는데, 그 머리기사가 이랬다.

"시한부 삶 강영우 박사 '가진 것 다 주고 떠나렵니다' 미 국제로터리재단에 보은의 25만 달러 기부"

강영우 박사가 그동안 받은 하나님의 은혜와 세상에서 받은 은혜에 감사하여 보은(報恩)하는 마음으로 무려 25만 달러, 우리나라 돈으로 약 2억 9천만 원에 달하는 돈으로 장학기금을 만들어 국제로터리재단에 희사했다는 내용이다. 강영우 박사는 40년 전인 1972년 국제로터리재단의 장학생으로 뽑혀 피츠버그대로 유학갈 수 있었다. 그 은혜를 잊지 않은 것이다.

그런데 그 돈은 자신만의 돈으로 하지 않았다. 본인이 20만 달러를 내고 두 아들에게 각각 2만5천 달러씩 내게 하여 25만 달러의 장학기금을 조성했다. 이것은 무엇을 말하는 것인가? 죽음을 앞두고 자녀들에게 삶의 모범적인 태도에 대한 마지막 교육을 시킨 것이다. 그뿐만이 아니다. 미국 피츠버그대학교의 공공정치학·법학 포럼에 2만5천 달러를 기부하고, 미리 작성한 유언장에는 모교인 연세대학교에 4억여 원을 기증하는 내용도 담겨 있다고 한다. 그는 그렇게 자신의 삶을 정리하며 하나님으로부터 받은 은혜를 흘려보내고 있었다.

나는 그 분이 그렇게 할 수 있었던 것은 성령의 열매를 누린 분이기 때문이라고 믿는다. 그리고 그 분이 죽음을 초월하고 죽음의 공포로부터 자유할 수 있고, 삶의 마지막 순간에 성령의 열매를 마음껏 세상을 향해 흘려보낼 수 있었다면 우리도 그렇게 할 수 있을 줄 믿는다.

나는 아직 젊은 축에 속하긴 하지만, 가끔씩 '미리 유서를 써놓으면 어떨까?' 하는 생각을 한다. 나이를 더 먹고 세상 욕심이 생기고 마음이 변하기 전에 "내가 가진 모든 것은 내 것이 아니기 때문에 세상에 모두 기부합니다!"라고 미리 공표하는 게 어떨까 싶은 마음이 들기 때문이다. 예수님을 믿는다고 하면서 끝 모르는 탐욕과 탐심으로 살다가 죽음의 공포 앞에서 두려워 떨며 구차하게 세상을 떠나는 모습을 자녀들에게 보여주고 싶지 않다. 강영우 박사처럼 성령의 열매를 누리며 넉넉하게 살다가 성령의 열매를 나누고 흘려보내는 넉넉한 모습으로 세상을 떠날 수 있다면 얼마나 감사한 일이겠는가! 그것이 성령의 진정한 능력이요, 열매이다!

우리가 드리는 모든 예배 가운데 이런 일이 일어나야 한다. 상처받은 자, 마음이 상한 자, 가정이 깨어진 자, 자신의 실수와 잘못으로 고통당하는 자, 다른 이의 잘못으로 어려움을 겪는 모든 자들이 예배 가운데 기쁨이 회복되고 찬양이 회복되고 영으로 춤을 추며 뛰노는 역사가 일어나야 한다. 그래서 교회 문을 나설 때 회복의 기쁨을 가지고 나아갈 수 있어야 한다. 이런 은혜가 우리 모두에게, 한국 교회 위에 가득 임하기를 간절히 바란다.

내면에서 흘러나오는
진정한 능력

사랑이 가장
강력한 경쟁력이다

미국의 국제정치학자인 조지프 나이(Joseph S. Nye) 교수가 쓴 《소프트 파워》라는 책이 있다. 저자는 이 책에서 냉전시대 때 미국이 소련을 누르고 승리자가 될 수 있었던 것은 당시 미국의 군사력인 '하드 파워' 때문이었다고 분석했다. 그러나 그 이후 미국이 세계 유일의 강대국 대접을 받을 수 있었던 것은 '하드 파워'가 아닌 '소프트 파워' 때문이었다고 강조한다.

맥도날드나 코카콜라, 할리우드 영화와 같은 것들이 전 세계를 지배하고 있는 것이 현실이다. 그런데 안타깝게도 미국은 이런 '소프트 파워'의 강점은 소홀히 하고 '하드 파워'만 내세우다가 결국 제국주의로 전락하고 말았다는 비판을 받게 되었다고 저자는 지적한다.

우리가 회복해야 할 소프트 파워

조지프 나이 교수가 말하는 '하드 파워'는 한마디로 물리적인 힘을 가지고 몰아붙이는 것, 즉 군사력, 외교력, 경제력 등에 기반한 물리적 제제와 같은 것들이다. 반면, '소프트 파워'는 문화로 대표되는데 명령과 강제력으로 몰아붙이는 것이 아니라 자발적 동의하에 스스로 마음을 열고 움직이게 만드는 힘을 말한다.

나는 '소프트 파워'인 문화의 힘이 '하드 파워'인 군사력보다 더 강하다는 조지프 나이 교수의 글을 보면서 참 일리 있는 주장이라는 생각을 했다. 이솝 우화에도 나그네의 코트를 벗긴 것은 따사로운 햇살이지, 성난 바람이 아니었다는 이야기가 있지 않은가?

그렇다면 오늘날 교회가 회복해야 할 '소프트 파워'에는 어떤 것들이 있을까? 물론 많은 것들이 있겠지만 그중에서도 성령의 아홉 가지 열매가 우리가 회복하고 맺어야 할 가장 대표적인 영적 소프트 파워가 아닌가 싶다. 특히 '사랑'은 기독교의 가장 대표적인 영적 소프트 파워일 것이다.

사랑의 파워가 얼마나 대단한지 성경은 이렇게 기록한다.

우리가 성령으로 믿음을 따라 의의 소망을 기다리노니 그리스
도 예수 안에서는 할례나 무할례나 효력이 없으되 사랑으로써

역사하는 믿음뿐이니라 갈 5:5,6

믿음조차도 사랑이라는 소프트 파워가 작동되지 않으면 아무런 힘을 발휘할 수 없다. 믿음이 효력을 발휘하게도 또 무력하게도 만드는 것이 바로 사랑의 힘이다.

기꺼이 낭비하는 사랑

언젠가 이런 이야기를 들은 적이 있다. 한 의사가 아프리카의 한 마을에 들어가 그들을 섬기며 지냈다. 그 마을의 추장 아들은 누가 봐도 매우 훌륭한 엘리트였다. 외국에서 유학 생활을 마친 추장 아들이 마을로 돌아오자 온 마을이 술렁였다. 과연 그가 누구와 결혼하게 될지에 모든 사람의 시선이 쏠린 것이다. 그 의사 역시 궁금한 마음에 관심을 가지고 지켜보았다고 한다.

그 마을에서는 남자가 청혼할 때 여자의 집에 암소를 끌고 가서 하는 것이 풍습이었다고 한다. 대부분의 처녀는 암소 한 마리를 받았고 때때로 두 마리를 받았다. 가끔씩 암소 세 마리를 받는 경우도 있으나 그런 경우는 매우 드물어 그 마을 처녀 중 몇 명 되지 않았다고 한다.

그러던 어느 날, 드디어 추장 아들이 청혼하기 위한 차비를 차리고 길을 나섰다. 그 행렬을 보니 암소를 무려 아홉 마리나 끌고 가는 것이 아닌가? 사람들은 모두 나와서 "역시 추장 아들은 달라. 누가 저 암소 아홉 마리를 받고 추장 아들과 결혼을 하게 될까?"라고 웅성거리며 그

뒤를 따랐다. 그런데 추장 아들이 도착한 집은 너무나 의외였다. 몹시 가난한 집에다가 청혼 받은 처녀 역시 병약한 외모에 영 볼품없는 모습이었기 때문이다. 지켜보던 사람들은 다들 실망하여 "추장 아들이 정신이 나갔나보다. 저런 아가씨에게 암소를 아홉 마리나 갖다 바치다니!" 하면서 수군거렸다.

그 의사는 본국으로 귀환할 때가 되어 그곳을 떠났고, 그 추장 아들과 그 처녀의 이야기도 어떻게 되었는지 듣지 못했다고 한다. 그러다 오랜 시간이 흘러 그 마을에 다시 방문하게 됐는데, 그때의 추장 아들이 어느덧 추장이 되어 있었다.

추장의 초대로 그 집에 방문한 의사는 깜짝 놀랐다. 왜냐하면 부인이 나와서 인사를 하는데, 예전에 봤던 그 볼품없던 모습이 아니었기 때문이다. 그때의 자신감 없고 초라한 아가씨가 아닌 무척 당당하고 아름다운데다 영어까지 유창하게 구사하는 그야말로 멋진 여성이 되어 있더라는 것이다. 그 의사가 속으로 놀라워하고 있는데, 추장이 눈치를 챘는지 이런 이야기를 했다고 한다.

"사실 그때 암소 한 마리면 충분히 혼인 승낙을 얻을 수 있었지요. 하지만 청혼의 순간에 암소를 몇 마리나 받았느냐가 한 여인에게 있어서 평생의 자기 가치를 결정하는 일이라는 것을 저는 알고 있었습니다. 저는 제 아내가 평생 자신의 가치를 암소 한두 마리 값에 한정하며 사는 것을 원치 않았습니다. 제 아내를 무척 사랑했기 때문이지요. 처음에 아내는 아홉 마리의 암소를 보고 무척 당황하고 놀랐습니다.

그리고 그 후로는 자신의 가치를 아홉 마리의 암소에 걸맞게 하기 위해 정말이지 열심히 노력하는 것 같았습니다. 저는 아내에게 공부를 하라거나 외모를 가꾸라는 등의 조언을 전혀 하지 않았습니다. 다만 있는 그대로의 당신을 사랑한다고만 말했죠. 그런데도 아내는 점점 더 아름다워지고 멋진 여성이 되어갔습니다."

우리가 받은 영적 암소 아홉 마리

이 이야기가 실화인지 아니면 감동적인 예화일 뿐인지는 모르겠다. 하지만 이 이야기를 들으며 내 마음에 감동이 물밀듯 밀려왔다. 그러면서 문득 로마서의 이 말씀이 떠올랐다.

> 자기 아들을 아끼지 아니하시고 우리 모든 사람을 위하여 내주신 이가 어찌 그 아들과 함께 모든 것을 우리에게 주시지 아니하겠느냐 롬 8:32

사도 바울은 복음을 전하다가 억울하게 누명을 쓰고 감옥에 갇히기도 여러 번이었고 살해 위협을 당하기도 했다. 그러나 아무리 환경이 어려울지라도 그는 비굴하게 살지 않았다. 늘 당당했고 자신감이 있었다. 어떻게 그럴 수 있었을까? 이 말씀에 기록된 것처럼 자신이 영적인 암소 아홉 마리, 즉 독생자 예수 그리스도를 아끼지 않으신 하나님의 사랑으로 구원 받았다는 확신이 그에게 있었기 때문이다. 자기가 받은 구원의 가치가 실로 엄청나다는 사실을 알았기 때문에 그는 늘 당당하고 자신 있는 모습으로 복음을 부끄러워하지 않고 살아갈 수 있었던 것이다.

이 말씀을 더욱 깊이 묵상하는데 이런 의문이 들었다.

'하나님께서는 전지전능하신 분인데 우리를 구원하실 때 그냥 말씀으로만 하실 수도 있었을 텐데 왜 굳이 독생자 예수 그리스도를 십자가에 내어주시는 희생을 통해 우리를 구원해주셨을까?'

그러면서 깨닫게 된 것이 '아, 주님의 십자가가 바로 내가 받은 암소 아홉 마리구나!' 하는 것이었다. 추장의 아들이 암소 한 마리만으로도 충분히 결혼할 수 있었지만 사랑하는 여인의 존재감을 위해서 암소 아홉 마리를 끌고 가는 거룩한 낭비를 했던 것처럼, 우리 하나님께서는 무엇과도 바꿀 수 없는 독생자 예수 그리스도를 십자가에 내어주심으로써 우리가 다 그런 존재감을 갖기 원하셨던 것이다. 그래서 비록 능력 없고 얼굴이 잘생기지도 않았으며 그저 볼품없는 존재일지라도 "나는 주님이 암소 아홉 마리보다 더 귀한 예수 그리스도의 생명을 주셔서 구원해주신 놀라운 사람이다!"라는 자부심이 우리의 긍지가 되게 하신 것이다.

우리 모두 이 사실을 마음 깊이 담아야 한다. 이것이 주님의 십자가 사랑, 아가페 사랑이라는 가장 강력한 소프트 파워이다.

포기하지 않는 사랑이 일으킨 기적

최근에 이 사랑의 힘과 관련된 감동적인 실화를 들은 적이 있다. 사춘기 아들과 단 둘이 사는 한 어머니가 있었다. 그런데 그 어머니가 아들을 피해 집을 뛰쳐나오게 되었다. 무슨 일이 있었던 것일까?

사연인즉, 사춘기인 아들이 게임 중독에 빠져 폐인이 다 되었다고 한다. 게임을 말리는 어머니를 발로 차고 주먹으로 때리고 차마 입에 담을 수 없는 욕설을 퍼붓기 일쑤였다. 아들은 게임 중독에 빠진 후로 어머니를 '엄마'라고 부르지도 않았다. 욕설로 대신할 뿐이었다. 그날도 아들에 대한 걱정으로 늘 마음이 무거웠던 어머니가 게임하지 말라고 아들을 타이르다가 봉변을 당한 것이다. 거친 욕설과 함께 심한 폭력이 쏟아지자 이러다가는 큰일 나겠다 싶어서 결국 집을 뛰쳐나온 것이다.

아들이 그렇게 변하게 된 것은 중학교 2학년 무렵이었다. 그 당시 아버지와 아들이 함께 차를 타고 가던 중에 불의의 사고로 아버지가 목숨을 잃었다고 한다. 사고 이후 어린 아들은 '내가 아빠를 죽였다'는 죄책감에 시달리며 괴로워하다가 그때부터 학교도 안 가고 친구도 안 만나고 집에서 게임만 하게 된 것이다. 갑작스레 남편을 잃은 어머니는 생계를 위해 생업에 뛰어들었고, 아들의 상태를 미처 돌아보지 못했다. 아들의 상태가 심각하다는 사실을 알았을 때는 이미 돌이킬 수 없는 폐인이 된 뒤였다.

집은 나왔지만 그렇다고 아들을 포기할 수는 없었다. 그날부터 어머니는 아들이 밤새 게임하다가 잠들 무렵 몰래 집에 들어가 밥상을 차려놓고 나왔다. 매일 그렇게 하기를 9일쯤 되었을 때, 그날도 어머니는 아들의 밥상을 차려주기 위해 집으로 들어갔다. 그런데 자고 있어야 할 아들이 식탁에 앉아 있는 게 아닌가? 깜짝 놀란 어머니는 손에 들고 있던 장바구니를 놓칠 정도였다. 그때 아들의 입에서 나온 말이 어머니를 더 놀라게 했다.

"엄마, 같이 밥 먹고 가요."

아들의 입에서 일 년 반 만에 나온 '엄마' 소리였다. 아들의 말을 들은 어머니는 아들을 부둥켜안고 한참을 통곡했다고 한다. 아마도 자기가 그렇게 엄마에게 폭력을 휘두르고 욕을 했는데도 자신을 끝까지 포기하지 않고 매일 밥상을 차려주기 위해 몰래 다녀가시는 엄마의 사랑에 아들의 마음이 녹았던 것 같다.

그때부터 아들은 청소년상담센터를 다니며 상담과 치료와 운동을 병행하며 새 삶을 찾아가고 있었다. 그때 상담을 도와주던 청소년 상담가가 이런 말을 했다.

"이 아이는 아버지가 돌아가신 후에 상처를 많이 받았는데, 그 상처를 가족을 통해 치유 받지 못하고 혼자 간직하다가 곪아버려서 이런 일이 일어난 거예요."

아들은 자기 엄마가 아버지를 죽게 한 자신을 싫어할 것이라 생각했고, 생활 전선에 뛰어들어야 했던 어머니는 미처 아들의 그 마음을 헤아리지 못했던 것이다.

그 이후 어머니는 친척들을 총동원하여 아들을 데리고 지리산으로 가족여행을 떠났다. 여행을 하는 동안 온 가족이 번갈아가며 "너는 참 귀한 존재야. 너는 정말 사랑스러워. 넌 정말 소중한 아이야"라는 말을 해주었다고 한다. 그렇게 아이에게 사랑을 표현해주었더니 기적이 일어났다. 그 아이가 여행하는 3박 4일 동안 컴퓨터 게임을 한 시간도 하지 않았는데 금단증상이 전혀 없었다는 것이다. 마약, 담배, 도박 등 모든 중독 현상과 마찬가지로 게임 중독 역시 금단현상 때문에 끊기 어려운데 말이다. 이후 상담가가 내린 결론은 이랬다.

　　"부모가 야단만 쳐서는 아이의 게임 중독을 고칠 수 없습니다. 가장 중요한 것은 그 아이를 향한 관심과 사랑입니다."

　　이것이 바로 '소프트 파워'로서의 사랑의 힘 아닌가? "게임하지 마!"라고 윽박지르면서 몽둥이로 때려서 고치려는 '하드 파워'가 아닌 따뜻한 사랑으로 그 마음을 녹이고 열게 한 '소프트 파워', 사랑의 힘인 것이다.

사랑하사, 주셨으니, 얻게 하려 하심이라!

　　우리는 이 사랑의 힘을 믿어야 한다. 가끔은 우리가 교회를 너무 오래 다닌 것이 화근이란 생각이 든다. 매일같이 '십자가 사랑, 예수님 사랑'에 대한 이야기를 듣다 보니 이제는 그것에 너무 익숙해진 나머지 더 이상 감동스럽지도 않고 무덤덤하게 반응하게 되어버린 것이다. 구체적이고 생생하게 살아 움직여야 할 사랑이 관념으로, 이성(理

性)으로, 추상적인 명사로 갇혀버리고 말았다. 사랑의 능력을 믿는 대신 '사랑은 좋은 것'이라는 생각에 갇히고 만 것이다. 그러나 우리는 사랑의 힘을 믿어야 한다. 그리고 '명사'로 가두어놓은 사랑을 '동사'로 해방시켜주어야 한다. 사랑은 지극히 실제적이며 생생하게 살아 움직이며 놀라운 파워를 발휘한다.

동사로서 살아 움직이는 하나님의 사랑의 결정체가 바로 요한복음 3장 16절이다.

> 하나님이 세상을 이처럼 사랑하사 독생자를 주셨으니 이는 그
> 를 믿는 자마다 멸망하지 않고 영생을 얻게 하려 하심이라
>
> 요 3:16

이 말씀을 묵상하면서 하나님의 가장 강력한 소프트 파워인 사랑에 대한 공식 하나를 도출할 수 있었다. "사랑하사, 주셨으니, 얻게 하려 하심이라"가 그것이다. 하나님께서는 세상을 '사랑하셔서' 독생자를 '주셨고' 그 결과로 그를 믿는 자마다 '영생을 얻게 하려' 하셨다. 이 안에 주님의 아가페 사랑의 본질이 다 녹아 있다. 우리는 주님이 먼저 보여주신 이 사랑의 열매를 품고 또 맺어나가야 한다. 그러기 위해서는 성령의 열매로서의 아가페 사랑의 특징을 먼저 알아야 한다.

아가페 사랑은 다른 사람을 향해 흐른다

아가페 사랑은 타인 지향적인 특징을 가지고 있다. '사랑하사' 다음에 구하는 것은 자신의 만족이 아니다. 상대방에게 '주셨으니' 그 결과 '얻게 하려 하심이라'이다. 사랑하고 준 결과로 누가 얻었는가? 자신이 얻었는가? 아니다. 상대방이 얻었다. '사랑'이 근본적으로 타인 지향적인 속성을 가지고 있다는 말이다.

갈라디아서 5장은 '성령의 열매'와 대조하여 '육체의 일'을 다음과 같이 언급한다.

> 육체의 일은 분명하니 곧 음행과 더러운 것과 호색과 우상 숭배
> 와 주술과 원수 맺는 것과 분쟁과 시기와 분냄과 당 짓는 것과
> 분열함과 이단과 투기와 술 취함과 방탕함과 또 그와 같은 것들
> 이라 갈 5:19-21

성령의 열매 가운데 가장 먼저 나온 것은 '사랑'이었다. 그리고 악한 육체의 일들 가운데 가장 먼저 나온 것은 '음행'이다. 이 두 가지는 어떻게 대조되는가?

'음행'이란 단어를 영어성경 NIV는 'sexual immorality', 즉 '성적 타락'이라고 표현하였고, KJV는 'adultery', 우리말로 하면 '불륜, 간음'이란 뜻의 단어로 표현했다. 이 단어의 헬라어 원어는 영어 단어 '포르노'(pornography)의 어원인 '포르네이아'이다. 이것이 무엇을 의

미하는가? 진짜 사랑인 아가페 사랑의 속성이 타인 지향적인 '사랑하사, 주셨으니, 얻게 하려 하심이라'로 이어진다면, 음행은 정반대이다. 자기 욕심을 채우기 위해 다른 사람을 이용하는 태도가 바로 음행이다. 포르노가 그렇지 않은가? 내 정욕을 위해서 존귀한 하나님의 형상인 여성을 상품화하고 탐닉하는 악한 태도가 포르노로 대표되는 음행이다. 따라서 진짜 사랑의 열매는 남을 유익하게 하지만, 사이비 사랑인 음행의 열매는 나의 탐욕을 위해 다른 사람을 망가뜨리는 것으로 나타난다.

우리는 이런 차원에서 내가 맺고 있는 사랑의 열매가 진짜 사랑인지 사이비 사랑인지 늘 자신을 돌아보고 점검해야 한다. 진짜 사랑은 나를 향해 흐르지 않고 다른 사람을 향해 흐른다.

하나님을 의존하는 아가페 사랑

아가페 사랑의 또 다른 특징은 하나님 의존적인 속성을 가지고 있다는 것이다. 다음 말씀을 보자.

> 나는 포도나무요 너희는 가지라 그가 내 안에, 내가 그 안에 거하면 사람이 열매를 많이 맺나니 나를 떠나서는 너희가 아무것도 할 수 없음이라 … 아버지께서 나를 사랑하신 것같이 나도 너희를 사랑하였으니 나의 사랑 안에 거하라 요 15:5,9

이 말씀에서 예수님은, 우리가 주님을 떠나서는 아무런 열매도 맺을 수 없으며, 그분의 방식대로 우리를 사랑한 것이 아니라 아버지께서 자신을 사랑하신 것같이 우리를 사랑한다고 말씀하신다. 아가페 사랑은 이처럼 하나님 의존적인 속성을 갖는다.

우리가 참된 사랑의 속성인 하나님 의존적인 속성을 무시하면 어떤 일이 일어나는가? 그 단적인 예가 성경에 기록되어 있다. 바로 암몬의 사건이다. 다윗의 아들이었던 암몬은 자기 이복동생 다말을 성폭행하는 패륜을 저지름으로써 한 가정을 비극으로 몰고 갔다. 그런데 암몬에 대한 성경의 기사를 살펴보다가 충격을 받은 것이 하나 있었다. 그것은 이 사건을 다루는 성경의 표현 때문이었다.

> 그 후에 이 일이 있으니라 다윗의 아들 압살롬에게 아름다운 누이가 있으니 이름은 다말이라 다윗의 다른 아들 암논이 그를 '사랑하나' … 그가 암논에게 이르되 왕자여 당신은 어찌하여 나날이 이렇게 파리하여 가느냐 내게 말해주지 아니하겠느냐 하니 암논이 말하되 내가 아우 압살롬의 누이 다말을 '사랑함이니라' 하니라 삼하 13:1,4

성경은 암논이 다말을 '사랑했다'고 표현한다. 암논이 다말을 사랑해서 성폭행하게 됐다는 것이다. 그러면 암논의 사랑은 진짜 사랑이었는가? 아니면 가짜 사랑이었는가? 내가 충격을 받은 것이 이 부분이다. 구약 성경을 헬라어로 번역한 성경인 '70인역'을 보면 암논이 말하는 누이동생을 향한 사랑이 놀랍게도 '아가페'로 표현되어 있다. 무슨 뜻인가? 처음에 암논이 누이동생 다말을 향해 사랑하는 마음을 품었을 때는 진짜 사랑인 아가페였다는 것이다. 그러나 암논의 비극은, 그 숭고하고 아름다운 아가페 사랑을 변질시켜 성폭행하는 모습으로 타락하고 말았다는 데 있다.

여기서 우리는 정말 중요한 교훈을 얻을 수 있다. 그 출발은 비록 순수하고 숭고한 아가페 사랑이었다 할지라도 그 사랑이 하나님을 의지하지 않고 하나님 영역 안에 거하지 않을 때, 그 사랑이 변질될 수 있다는 것이다. 아가페 사랑의 속성이 하나님 의존적이기 때문이다.

변질된 사랑의 비극

암논의 사건은 오늘날 이 시대에 벌어지고 있는 수많은 비극을 설명하는 열쇠가 된다. 예를 들어, 지금 젊은이들 사이에서 일어나고 있는 일들을 보라. 미국, 유럽, 한국 할 것 없이 성적인 타락이 홍수같이 일어나 수많은 미혼모가 생기고 낙태가 성행하며 그로 인한 죄책감으로 수많은 젊은이들이 고통당하고 있다. 그런데 이 모든 비극이 어떻게 시작하는가?

"널 정말 사랑해서 너와 함께하고 싶어. 날 못 믿어? 오빠 믿지?"

이것이 공식이다. 그러나 자매들이여, 이 말에 넘어가면 안 된다. 많은 자매들이 사랑하는 오빠의 이런 말을 들으며 '이 남자가 나를 정말 사랑하나? 아니면 내 몸만 노리는 걸까?' 하는 고민에 빠지는데, 이 것이 화근이다. "진실로 너를 사랑한다"라는 그 남자의 말의 진위는 별로 중요하지 않다. 왜냐하면 사랑은 변질되기 쉬운 속성을 가졌기 때문이다. 하나님을 의존하지 않는 사랑은 변질될 수밖에 없음을 기 억해야 한다.

> 그리하고 암논이 그를 심히 미워하니 이제 미워하는 미움이 전
> 에 사랑하던 사랑보다 더한지라 암논이 그에게 이르되 일어나
> 가라 하니 삼하 13:15

다말을 사랑하여 그녀를 성폭행한 후에 암논이 어떻게 되었는가? 어이없게도 다말을 미워하는 미움이 전에 사랑하던 사랑보다 더욱 커 져버렸다. '이 사람이 나를 정말 사랑하나? 아닌가?' 이것이 중요한 것이 아니다. 그 당시 남자가 여자를 진짜로 사랑했건 아니면 육체만 탐하는 거짓 사랑이었건 상관없이 그 사랑이 하나님 영역 안에 있지 않으면 변질되어 버리기 때문이다. 오늘날 암논의 사랑처럼 변질된 사랑 때문에 얼마나 많은 자매들이 상처받고 눈물짓고 있는가? 하나 님 영역을 벗어난 사랑은 절대로 처음의 숭고했던 사랑 그대로 유지 되지 않는다.

우리에게는 사랑을 유지할 힘이 없다

결혼도 마찬가지다. 나는 주례를 설 때마다 신랑 신부에게 혼인서약을 직접 하게 한다. 서로 마주보고 서서 서약하라고 하면 신랑 신부의 입술이 파르르 떨리는 것이 보인다. 어떤 신부는 감격에 겨워 울기도 한다. 그런데 왜 일 년 만에 이혼하는 가정이 생기는가? 그들의 혼인서약이 사기였던 것일까? 아니다. 그 순간만큼은 100퍼센트 순결한 진실이었을 것이다. 그런데 왜 비극적인 결말을 맞게 되는가? 그 이유 역시 암논의 경우에서 찾아볼 수 있다.

결혼식장에서 하얀 드레스와 턱시도를 멋지게 차려 입고 아무리 눈물 흘리며 죽을 때까지 이 남자만을, 이 여자만을 사랑하겠노라고 고백한다 할지라도 그 아가페 사랑을 유지하고 간직할 능력이 우리에게는 없다. 그래서 하나님 안에 거해야 하는 것이다. 하나님 의존적인 속성을 가지고 있는 아가페 사랑을 유지하기 위해서는 반드시 하나님 안에 거해야 한다.

가정 안에서 일어나는 수많은 비극에 대해 상대방을 탓할 이유가 없다. 그것은 상대방 탓이 아니다. 남편은 처음부터 그런 사람이었고, 아내 역시 처음부터 그런 사람이었다. 변한 건 나 자신이다. 처음에 품었던 아가페 사랑이 변질된 것이다. 결혼은 내 행복과 유익을 위해 다른 사람을 끌어들이는 것이 아니다.

가정이 회복되기 위해서는 하나님 의존적인 아가페 사랑의 속성을 철저히 인식해야 한다. 그래서 암논과 같은 비극이 우리 가정 안에서 일어나지 않게 해야 한다. 아가페 사랑으로 시작했다가 그 사랑이 변질되어 가정이 망가지고 내 인생뿐 아니라 다른 사람의 인생까지 망가뜨리고 황폐하게 만드는 비극이 있어서는 안 된다. 그러기 위해서는 철저히 하나님을 의지해야 한다. 우리의 사랑이 거룩한 하나님 영역 안에 머물러야 한다!

자녀 교육도 마찬가지다. 언젠가 자기 어머니를 흉기로 찔러 숨지게 한 고등학생의 사건이 보도된 적이 있다. 그 아이는 반에서 1,2등을 다툴 정도로 공부를 잘하는 아이였다. 그런데 그 학생의 어머니는 그 정도에 만족할 수 없었던 모양이다. 아들에게 끊임없이 '전교 1등'을 강요하며 성적이 조금만 떨어져도 몇 시간에 걸쳐서 폭행하거나 밥을 안 주고 잠을 못 자게 했다고 한다. 사건이 일어나기 전날 밤에도 아들은 어머니에게 야구방망이와 골프채로 10시간에 걸쳐서 체벌을 당했다.

한번 생각해보라. 그 어머니가 아이를 임신했을 때 품었던 사랑이 과연 정욕적인 사랑, 빗나간 사랑, 사이비 사랑이었을까? '내가 이 아이를 열심히 공부시키고 투자해서 내 팔자 고쳐야겠다' 이런 마음을 먹고 아이를 낳았을까? 아닐 것이다. 분명히 아가페 사랑으로 시작했을 것이다. 그런데 그 사랑이 변질된 것이다.

부모들은 자녀를 향한 자신의 사랑이 혹시 사랑이란 이름으로 변질된 집착은 아닌지 하나님 앞에서 철저히 돌아봐야 한다. 성적 떨어졌다고 밥 굶기고 골프채 휘두르는 것이 어떻게 진짜 사랑이겠는가? 왜 자신이 이루지 못한 꿈을 아이에게 투사하고 대리 만족을 얻기 위해 애쓰면서 그 헛된 집착에 사랑이란 이름을 붙이는가? 우리는 암논의 변질된 사랑의 비극을 기억하면서 하나님 앞에서 늘 두 가지를 점검해야 한다.

두려운 마음으로 점검하라

먼저 우리는 우리의 사랑이 타인 지향적인 특성을 가지고 있는지 늘 점검해야 한다. 당신의 남편이나 아내, 자녀를 향한 사랑은 타인 지향적인 특성을 가지고 있는가? 아니면 변질되어 상대방을 내 욕망의 도구로 전락시키고 있는가?

최근에 어느 분과 대화를 하다가 사랑에 관한 명언 하나를 들었다.

"아가페 사랑은 또 다른 사랑을 낳을 때라야만 그것이 진짜 아가페 사랑임을 입증하는 것이다."

정말 맞는 말이다. 우리가 아가페 사랑을 흘려보냈으면 거기서 또 다른 사랑의 열매가 맺힐 때 비로소 그것이 진정한 아가페 사랑임이 입증되는 것이다. 이것이 아가페 사랑이냐 변질된 탐욕이냐를 구별하는 기준이 된다. 우리 모두 각자의 삶 속에서 내가 흘려 보내고 있는 사랑이 어떤 열매를 맺고 있는지 점검해봐야 한다.

그리고 우리는 우리의 사랑이 하나님 의존적인 특성을 가지고 있는지 늘 점검해야 한다. 우리에게는 사랑을 유지할 능력이 없다. 그렇기 때문에 우리의 사랑이 하나님 영역을 벗어나게 되면 그 사랑은 변질될 수밖에 없다.

> 나는 포도나무요 너희는 가지라 그가 내 안에, 내가 그 안에 거
> 하면 사람이 열매를 많이 맺나니 나를 떠나서는 너희가 아무것
> 도 할 수 없음이라 요 15:5

아가페 사랑으로 시작했다가도 사랑보다 더한 미움으로, 자녀에게 골프채 휘두르는 집착으로 변질될 수 있는 것이 우리의 사랑이다. 그래서 우리는 늘 우리의 사랑이 하나님 안에 있는지, 하나님을 의지하고 있는지 돌아보고 점검해야 한다. 혹시 남편을 향한 당신의 사랑이, 아내를 향한 사랑이, 자녀를 향한 사랑이 이미 변질되어버렸는가? 주님의 아가페 사랑으로 다시 덧입어라! 주님의 사랑이 우리 위에 덧입혀질 때 변질된 사랑도 치유되고 회복될 수 있다. 그때 진정한 사랑을 베풀 수 있게 될 것이다.

> 만물의 마지막이 가까이 왔으니 그러므로 너희는 정신을 차리
> 고 근신하여 기도하라 무엇보다도 뜨겁게 서로 사랑할지니 사
> 랑은 허다한 죄를 덮느니라 벧전 4:7,8

이 말씀을 보면 말세를 사는 우리가 해야 할 일이 두 가지 있다. 하나는 근신하여 기도하는 것이고 또 하나는 뜨겁게 서로 사랑하는 것

이다. 평상시에는 그냥 사랑하면 된다. 그러나 말세를 사는 우리는 '뜨겁게' 사랑해야 한다.

종교사상가인 헨리 드러먼드(Henry Drummond, 1851~1897)는 이런 말을 했다.

"인생을 돌아보면 제대로 살았다고 생각되는 순간은 사랑하는 마음으로 살았던 순간뿐이다."

이 말을 듣고 간절한 소원 하나가 생겼다. 내가 인생을 마감하는 날, "나는 세상을 헛되게 살지 않았나?" 하는 허무함으로 끝나지 않게 되기를 바라게 된 것이다. 그러기 위해서는 우리의 사랑이 아가페 사랑으로 회복되어야 한다. 그런 은혜가 우리 모두에게 임하기를 간절히 바란다.

기쁨은 저절로
오는 것이 아니라 붙잡는 것이다

때때로 외국 집회를 위해 한국의 목회 현장을 떠나 있을 때가 있는데, 그때마다 개인적으로 누리는 영적 유익이 많다. 시차 때문에 새벽한 시고, 두 시고 눈이 떠지곤 해서 몸은 피곤하지만, 바쁘고 분주한목회 현장을 떠나 맞는 그 새벽의 고요함이 나 자신을 돌아보는 데 더없이 좋은 기회가 되기 때문이다.

얼마 전에 다녀온 미국 집회 때도 마찬가지였다. 새벽 두 시면 어김없이 눈이 떠졌다. 그런데 그때마다 마음속을 울리는 두 가지 질문이있었다.

"나는 목회자로서 행복한가? 진짜 행복한가?"

두 번째 질문은 이랬다.

"내가 정말 행복하다면 그 행복은 주님으로 인한 것인가? 아니면 교회가 성장하고 내가 조금 유명해지는 데서 오는 낮은 차원의 행복인가?"

기쁨이 사라진 시대

우리가 사는 이 시대는 기쁨이 사라지고 있는 시대이다. 그렇기에 더욱 면밀한 자기 점검이 필요하다. 2008년 어느 기업에서 "웃음에 관한 라이프스타일 조사"라는 제목으로 우리나라 20세부터 50세까지 남녀 500명을 대상으로 설문조사를 했다. 그 결과가 참 씁쓸했다. 설문조사 결과에 따르면, 우리나라 사람들은 하루에 평균 10번 웃고, 한 번 웃을 때 평균 8.6초 동안 웃는다고 한다. 계산해보면 하루 평균 90초밖에 웃지 않는다는 결과가 나온다.

이에 반해, 우리나라 사람들이 걱정하고 근심하는 시간을 조사해보니 하루 평균 3시간 6분, 남녀로 나누면 여성은 3시간 30분, 남성은 2시간 30분 걱정하는 것으로 나타났다. 또한 연령별로는 20대 청년들의 걱정 근심이 가장 많은 것으로 집계되었다. 가장 활기 넘치고 꿈과 소망이 가득해야 할 20대 청년들이 취업 문제, 진로 문제, 결혼 문제 등으로 가장 많은 시간 걱정 근심에 싸여 있다는 사실이 정말 가슴 아팠다. 나 역시 20대 시절을 힘들고 어렵게 보냈던 경험이 있었기에 청년들의 고민이 남의 일 같지 않고 음료수라도 하나 사주고 싶은 심정이다.

어쨌든 지금 우리나라 사람들은 하루에 딱 1분 30초 웃고, 3시간가량 염려하고 근심하는 생활을 하고 있다는 것이다. 이것이 현실이다. 그렇기 때문에 우리는 더더욱 성령의 열매인 '기쁨'을 회복하고 획득하기 위해 애써야 한다. 그리고 교회는 일주일 내내 하루 1분 30초밖에 웃을 일이 없는 고단한 삶을 사는 성도들에게 성령의 열매인 기쁨을 풍성히 제공해주는 사명을 감당하는 곳이 되어야 한다.

부서진 영혼을 싸매지 못하는 교회

그러나 오늘날 교회는 이 사명을 제대로 감당하지 못하고 있는 것 같다. 미국의 유명한 저술가이기도 한 고든 맥도날드(Gordon MacDonald) 목사는 젊은 시기에 인생의 절체절명의 위기를 만나게 된다. 목회자로서 해서는 안 되는 성적(性的)인 죄를 지은 것이다. 그래서 모든 직분과 사역을 다 내려놓고 3년 동안 근신하며 치료받는 시간을 보내야 했다. 다행히 고든 맥도날드 목사는 3년간의 회복의 시간을 보낸 뒤 하나님의 은혜 가운데 사역에 복귀할 수 있었다. 그는 오랜 시간이 흐른 뒤에 그때의 절망적인 시간들에 대해 이렇게 회고했다.

"그 후, 아내와 함께 교회에 예배드리러 갈 때 나는 설교자도 아니고 지도자도 아니었다. 난 한 교인이었다. 많은 경험을 가진 사람들이 전해주는 말을 경청하려 노력했다. 영적으로 부서진 상태에서 예배를 드리러 갔었다. 아무도 못 알아봤으면 하는 마음뿐이었다. 예배를 드리러 가면서 항상 아주 조그마한 소망이라도 얻을 수 있을까 기대하곤 했었다."

당시의 암담했던 심정이 고스란히 전해지는 가슴 아픈 고백이다. 그런데 이어진 말이 더욱 가슴 아팠다. 그 분이 그렇게 참담한 현실 속에서 예배를 통해 작은 기쁨이라도 회복하기를 원했지만, 결과는 대부분 실패로 끝났다는 것이다. 그 분의 표현으로 '뻔한 설교, 뻔한 위로, 피상적인 교제'만 있는 교회의 현실이 자기처럼 부서진 마음을 가진 사람들에게는 전혀 도움이 안 되더라는 것이다. 그러면서 그때 그분은 절박한 심정으로 아내에게 이런 이야기를 했다고 한다.

"나는 그때 아내에게 말했다. 내가 다시 목사가 된다면, 내가 만약 다시 한 번이라도 말씀을 전하고 설교를 할 수 있게 된다면 나는 맨 먼저 마음을 다친 사람들에게 말씀을 전하겠다고. 그리고 나는 아내에게 이런 다짐도 했다. 예배당 의자의 한 줄에 한 명씩은 정말 부서진 마음을 부여잡고 교회를 찾는 사람이 있음을 확신한다. 이제 이런 사람들에게 희망의 말씀을 전할 것이다."

감사하게도 고든 맥도날드 목사는 그때의 힘든 과정을 모두 이기고 사역에 성공적으로 복귀하여 그 분의 다짐 그대로 많은 이들의 부서진 마음을 어루만지는 사역을 감당하게 되었다.

기쁨 없는 시대를 사는 성도들에게 성령의 열매인 기쁨을 전해주지 못하는 오늘날의 교회 현실과 고든 맥도날드 목사의 가슴 아픈 고백을 생각하면서 나 자신과 우리 교회에 대한 여러 가지 생각이 교차했다. 특히 나 자신에게 이런 질문을 여러 번 던졌다.

'과연 우리 교회는 기쁨의 회복을 도와주는 교회인가? 아니면 고든 맥도날드 목사처럼 절박한 심정으로 교회를 찾아오는, 한 줄의 한 명에 해당하는 그 마음 상하고 좌절하고 치유가 필요한 사람들에게 뻔한 설교, 해도 되고 안 해도 되는 설교가 선포되어 어떤 치유도, 어떤 위로도 줄 수 없는 그런 교회는 아닌가?

기쁨의 회복이 복음의 시작이다

신약에 나오는 '복음'이란 단어의 원어는 헬라어로 '유앙겔리온'인데, 이 단어에는 '즐겁다, 기쁘다, 희락이 넘친다'라는 뜻이 담겨 있다. 복음 자체가 기쁨의 회복을 전제로 한다는 것이다. 그렇기 때문에 우리는 그리스도인으로서 개인 차원에서, 또 복음을 담당하는 그리스도의 교회 차원에서 내면을 돌아보는 자기 점검을 면밀히 해야 한다.

만약 우리가 지금 성령충만한데 기쁘지 않다면, 그것은 코미디 프로그램 소재에나 어울릴 일이다. 결코 있을 수 없는 일이다. 우리에게 복음의 능력이 나타난다면 내게 주어진 현실과 상관없이, 사업이 잘되고 안 되고 상관없이, 가정의 형편과 상관없이 우리 안에 그 복음으로 인한 기쁨이 있어야 한다.

누가복음 2장 10절에 이런 말씀이 있다.

천사가 이르되 무서워하지 말라 보라 내가 온 백성에게 미칠 큰 기쁨의 좋은 소식을 너희에게 전하노라 눅 2:10

성경은 복음 자체가 "기쁨의 좋은 소식"이라고 명확하게 밝히고 있다. 그래서 성경 번역가 윌리엄 틴데일(William Tyndale)은 이런 말을 했다.

"복음은 상처 입은 자를 기쁘게 하고 찬송하게 하고 춤추게 하고 기쁨으로 뛰놀게 한다."

우리가 드리는 모든 예배 가운데 이런 일이 일어나야 한다. 상처받은 자, 마음이 상한 자, 가정이 깨어진 자, 자신의 실수와 잘못으로 고통당하는 자, 다른 이의 잘못으로 어려움을 겪는 모든 자들이 예배 가운데 기쁨이 회복되고 찬양이 회복되고 영으로 춤을 추며 뛰노는 역사가 일어나야 한다. 그래서 교회 문을 나설 때 회복의 기쁨을 가지고 나아갈 수 있어야 한다. 이런 은혜가 우리 모두에게, 한국 교회 위에 가득 임하기를 간절히 바란다.

기뻐하라! 주님께 환호성을 올려라!

언젠가 〈크리스채너티 투데이〉 지에 '기쁨이 이끄는 삶'이라는 제목의 글이 실렸다. 그 기사는 신학자 칼 바르트(Karl Barth)의 말을 인용했는데, 그 내용이 이렇다.

"신구약 성경에 즐거움, 희락, 만족, 환호, 잔치, 기쁨에 관한 구절이 얼마나 많은지, 또 시편부터 사도행전을 거쳐 빌립보서까지 이를 행하라고 얼마나 단호하게 명령하는지 놀라울 정도다."

하나님께서는 우리에게 "살인하지 말라, 간음하지 말라, 도둑질하

지 말라"와 같은 명령만 하시는 것이 아니라 "기뻐하라. 이유 여하를
막론하고 마음의 기쁨을 빼앗기지 말라"고도 명령하신다. 시편에 이
런 말씀이 있다.

온 땅이여 여호와께 즐거운 찬송을 부를지어다 시 100:1

이 말씀을 표준새번역 성경으로 보면 "온 땅아, 주님께 환호성을 올
려라"라고 표현되어 있다. 이런 차원에서 우리 예배는 더 기쁨이 넘치
고 밝고 환희에 찰 필요가 있다.

예전보다는 많이 좋아졌지만 우리나라의 많은 교회의 예배드리는
모습은 아직도 너무 점잖다. 복음이 선포되는 그 놀라운 순간, 우리는
웃지도 않고 울지도 않고 기쁘지도 슬프지도 않은 것 같은 점잖은 표
정으로 점잖게 앉았다 돌아가기 일쑤이다. 그러나 시편 기자는 이렇
게 외친다.

"온 땅아, 주님께 환호성을 올려라!"

우리는 더 기뻐해야 한다. 더 즐거워해야 한다. 주님께 환호성을 올
려야 한다.

당연한 것으로 기뻐하지 말라

그런데 여기서 한 가지, 우리가 기억해야 할 것이 있다. 누가복음 말
씀을 보자.

> 칠십 인이 기뻐하며 돌아와 이르되 주여 주의 이름이면 귀신들
> 도 우리에게 항복하더이다 눅 10:17

전도하러 나갔던 칠십 인의 전도대원들이 무척 기뻐하며 돌아오고 있다. 그들의 기쁨의 원인은 무엇인가? 그들은 주님의 이름을 부를 때 귀신들도 항복하며 떠나간 것을 체험했다. 그 놀라운 복음의 역사를 경험한 전도대원들은 기쁨을 감추지 못한 채 그 내용을 주님께 보고한다. 이에 주님은 뭐라고 말씀하시는가?

> 예수께서 이르시되 사탄이 하늘로부터 번개같이 떨어지는 것
> 을 내가 보았노라 내가 너희에게 뱀과 전갈을 밟으며 원수의 모
> 든 능력을 제어할 권능을 주었으니 너희를 해칠 자가 결코 없으
> 리라 눅 10:18,19

무슨 말씀인가? 당연한 결과라는 것이다. 복음에 그런 능력이 있는 것은 당연하다는 말씀이다. 그러면서 정말 중요한 말씀을 덧붙이신다.

> 그러나 귀신들이 너희에게 항복하는 것으로 기뻐하지 말고 너
> 희 이름이 하늘에 기록된 것으로 기뻐하라 하시니라 눅 10:20

매우 중요한 지침이다. 여기서 주님은 무엇으로 기뻐하지 말라고

하시는가? 현상만으로 기뻐하지 말라는 것이다. 교회에 사람 조금 모인다고, 사업 조금 잘된다고, 가정이 화목하다고, 회사에서 인정받는다고 기뻐하지 말고 본질을 가지고 기뻐하라는 말씀이다. 현상만으로 기뻐하는 것은 차원이 낮은 기쁨이다. 우리는 눈에 보이는 것이 아닌 본질을 가지고 기뻐해야 한다.

본질을 회복한 기쁨을 누려라

누가복음의 이 말씀을 보면서 나는 사도행전 3장에 기록된 구걸하던 한 장애인이 떠올랐다. 나면서부터 못 걷게 된 한 사람이 성전 문 앞에 앉아 구걸을 하고 있었다. 그가 원한 것은 무엇인가? 동전 한 닢이었다. 당장의 주린 배를 해결할 수 있는 동전 한 닢이 그가 원한 전부였다. 그런 그가 앉아 있던 곳은 어디였나? 성전 안이었는가? 아니다. 그는 성전 문 앞에 앉아 있었을 뿐 성전 안에 들어가 있지 않았다. 그의 관심은 본질에 있지 않았다. 오로지 한 끼 해결하는 데 급급할 뿐이었다.

그런 그를 본 베드로와 요한은 그에게 한 끼 해결할 수 있는 돈이 아닌 본질을 주었다. 예수 그리스도의 이름과 그 이름의 능력을 그에게 주었다.

베드로가 이르되 은과 금은 내게 없거니와 내게 있는 이것을 네게 주노니 나사렛 예수 그리스도의 이름으로 일어나 걸으라 하

고 오른손을 잡아 일으키니 발과 발목이 곧 힘을 얻고 뛰어 서

서 걸으며 그들과 함께 성전으로 들어가면서 걷기도 하고 뛰기

도 하며 하나님을 찬송하니 행 3:6-8

은과 금을 주면 한 끼는 해결할 수 있지만 시간이 흐르면 다시 배고

파온다. 근본적인 해결이 아니기 때문이다. 그러나 본질, 즉 나사렛 예

수 그리스도의 이름의 능력이 그에게 임하자 근본적인 문제가 해결되

었다. 그러자 그는 걷기도 하고 뛰기도 하고 주님의 이름을 찬송하며

기쁨이 회복되었다.

오늘날 우리 교회 안에 얼마나 많은 영적 장애인이 있는가? 비록 몸

은 교회 안에 들어와 있지만 그의 영(靈)은 여전히 성전 밖에 머물러

있다. 문 앞에 앉아 있을 뿐이다.

'교회 가면 좋은 사람들 많고, 사람들 만나서 교제하는 일도 좋고,

목사라는 사람도 강단에서 좋은 이야기만 하니 손해 볼 것 없지.'

이런 마음으로 교회에 드나드는 사람이 너무 많다. 이것은 좋은 일

이다. 그러나 본질은 아니다. 우리 모두 동전 한 닢이 아닌 본질을 구

하기 위해, 예수 그리스도의 이름의 능력을 구하기 위해 교회에 모이

는 자들이 되어야 한다. 목회자에게는 교회 문 앞에서 서성이는 자들

을 강제로 끌어들일 능력이 없다. 다만 기도할 뿐이다. 몸만 교회 안으

로 들어오는 것이 아니라 그의 영이 주님의 성전으로 들어오기를 간

절히 구하는 수밖에 없다. 동전 한 닢을 구걸하러 교회에 나오는 영적

장애인이 아니라 그 영혼이 구원받아 참 기쁨이 회복되고 걷기도 하고 뛰기도 하며 하나님을 찬양하는 역사가 예배 가운데 일어나게 되기를 간절히 바라며 기도하는 수밖에 없다.

뚱뚱한 것은 건강한 것이 아니다
요한복음에서 주님은 이렇게 말씀하신다.

> 내 안에 거하라 나도 너희 안에 거하리라 … 내가 이것을 너희
> 에게 이름은 내 기쁨이 너희 안에 있어 너희 기쁨을 충만하게
> 하려 함이라 요 15:4,11

우리가 주님 안에 거하면 어떤 일이 벌어진다고 말씀하시는가? 주님의 기쁨이 우리 안에 있어 우리 기쁨이 충만해진다고 하신다. 우리는 이것을 알아야 한다. 주님의 기쁨이 내게 온전히 전이된 상태, 그것이 바로 부흥이다.

어린아이가 살이 많이 붙어 뚱뚱해진 것을 건강하다고 말하지 않는 것처럼, 사람이 많이 모이고 교회 규모가 커졌다고 해서 그 교회가 부흥했다고 말할 수는 없다. 진정한 부흥에 있어서 모인 사람의 숫자보다 과연 주님의 기쁨이 각 개인에게 온전히 전이되고 있는가가 더 중요하다. 그 기쁨을 누리는 사람이 많이 모이는 교회가 부흥하는 교회이다. 우리 모두 이런 기쁨을 전하고 누리는 자들이 되어야 한다. 하루

에 1분 30초밖에 웃을 일이 없는 각박한 세상 가운데서 진정한 기쁨을 전하고 나누는 교회가 되어야 한다.

어느 글에 보니 이단 집회에서 행해지는 설교의 상당수가 "당신에게 기쁨이 있습니까?"라는 화두를 던져 기존 교회를 비판한다고 한다. 오늘날 우리 안에 주님의 기쁨이 온전히 전이되고 그 기쁨이 교회 안에 흘러넘치지 않기 때문에 악한 세력이 그 틈을 타는 것이다. 그렇기 때문에 우리는 반드시 기쁨을 회복해야 한다. 주님의 기쁨이 우리 안에, 우리 교회 안에 충만히 흘러넘치도록 해야 한다.

기쁨은 저절로 오지 않는다

기쁨이 사라진 오늘날 우리 각 교회가, 또 우리 각 개인이 기쁨을 회복하기 위해 반드시 기억하고 실천해야 할 두 가지를 함께 나누고 싶다. 첫째로 우리는 성령의 열매인 기쁨을 감나무 밑에 누워서 감이 떨어지기만 기다리는 것처럼 가만히 기다려서는 안 된다. 기쁨을 적극적으로 쟁취해야 한다.

물론 성령의 열매는 하나님이 주시는 것이다. 전적으로 은혜의 소관이다. 기쁨 역시 마찬가지다. 희락, 즉 기쁨을 뜻하는 헬라어 '카라'는 '은혜'를 뜻하는 단어 '카리스'와 그 어원이 같다. 이 사실은 무엇을 뜻하는가? 성령의 열매인 기쁨은 우리가 만들어 낼 수 없는 은혜의 영역이라는 것이다.

그럼에도 불구하고 성령의 열매는 우리가 노력해서 얻어야 하는 것이기도 하다. 갈라디아서 5장 22절의 "오직 성령의 열매는"이라는 표현에서 '성령의'라는 부분을 원어로 살펴보면 '무엇에 속한, 무엇의 작용으로 말미암은'이라는 뜻이 포함되어 있다. 다시 말해서, '성령의 열매'라는 것은 '성령에 속한 사람들이 맺는 열매'라는 것이다.

성령의 열매와 관련된 다른 말씀들을 보자.

> 그러므로 내 형제들아 너희도 그리스도의 몸으로 말미암아 율법에 대하여 죽임을 당하였으니 이는 다른 이 곧 죽은 자 가운데서 살아나신 이에게 가서 우리가 하나님을 위하여 열매를 맺게 하려 함이라 롬 7:4

> 너희가 열매를 많이 맺으면 내 아버지께서 영광을 받으실 것이요 너희는 내 제자가 되리라 요 15:8

여기서 주체는 누구인가? '우리'이다. 성령의 열매는 바로 우리가 맺어야 하는 것이다.

마찬가지로 '성령의 열매'와 대비되어 언급된 '육체의 일' 역시 육체 자체가 나쁜 열매를 맺는 것이 아니다. 그 육체의 영향을 받는 사람이 맺는 나쁜 열매가 악한 것이다. 따라서 우리는 적극적으로 성령의 열매를 맺고 쟁취하기 위해서 수고하고 노력해야 한다.

아하하! 나는 괜찮다!

2012년 1월 1일, 기쁨을 쟁취하는 것과 관련하여 내게 잊지 못할 사건이 하나 있었다. 목회자들이 가장 힘들어하는 일정 중 하나가 송구영신예배가 주일이나 토요일에 드려지는 것이다. 아무리 은혜로운 예배라 해도 목회자 역시 체력의 한계를 느끼는 인간인지라 토요일 밤 늦게까지 드려지는 송구영신예배와 바로 이어 그 다음 날 아침부터 시작되는 주일 사역이 겹치는 것은 심적으로, 육체적으로 부담이 되기 때문이다. 2012년 새해를 맞을 때가 바로 그런 해였다. 몇 년 전, 비슷한 일정을 보내야 했을 때도 링거를 맞으며 예배를 인도해야 했던 적이 있었기 때문에 새해를 맞기 몇 달 전부터 내 마음은 적지 않은 부담으로 차 있었다.

2011년 12월 31일, 두 번에 나눠 드려진 송구영신예배를 마치고 집에 들어갔더니 자정이 가까운 시간이었다. 늦은 시간이었지만 바로 다음날 아침부터 있을 설교를 준비하느라 잠을 제대로 이루지 못하고 뒤척이다가 주일을 맞았다. 주일 아침 7시부터 오후 4시 반까지 주일 예배를 모두 마치고 나니 온 몸의 에너지가 고갈된 것 같았다. 차를 몰고 집으로 가는데 내 안에 두 가지 감정이 교차했다.

'아, 힘들다!'

이것이 첫 번째 감정이었다. 두 번째는 안도감이었다.

'주님의 은혜로 사고 없이 이 많은 예배를 잘 드릴 수 있었다. 하나님, 감사합니다. 이제 집에 가서 푹 쉬어야지!'

그런 마음으로 집으로 가고 있는데, 전화가 왔다. 전화를 받으니 대뜸 들리는 소리가 "목사님, 오고 계세요?"였다. 이게 무슨 일인가? 순간 어안이 벙벙해서 무슨 상황인지 파악이 안 되었다. 상황을 알고 봤더니 이랬다.

한 2년 전에 어느 교회에서 부흥회 요청이 있었는데, 2012년 1월 1일 주일 저녁부터 수요일 저녁까지 집회를 인도해달라는 것이었다. 도저히 일정이나 체력 문제로 가능할 것 같지 않아서 정중히 사양을 했다. 그랬더니 며칠 뒤에 다시 연락이 왔다. 그러면 한 주 늦춰서 1월 8일부터 집회를 인도해달라는 것이었다. 그래서 그러겠다고 약속을 했는데, 그 사이 그 교회 안에서 무슨 일이 있었는지 착오가 생긴 것이었다. 내 일정표에는 분명히 1월 8일부터 집회를 인도하기로 되어 있는데, 그 교회에서는 1월 1일부터 집회가 진행되는 것으로 잡혀 있었다. 전화기 저편으로 "목사님, 사람들이 오고 있어요. 빨리 오세요" 하는 소리가 들려왔다.

순간적으로 짜증이 밀려왔다. 이미 목도 다 쉬었고 손가락 하나 까딱할 힘도 없을 정도로 체력도 바닥인데, 다른 지역에까지 가서 3박 4일간 하루 세 번씩 꼬박 예배를 인도할 생각을 하니 눈앞이 캄캄했다. 속에서는 '안 가! 못 가!' 하는 외침이 절로 나왔다.

그러나 그 짜증스러운 감정을 그냥 둘 수 없었다. 집으로 향하던 차를 교회로 돌리면서 내가 어떻게 했는지 아는가? 마치 미친 사람처럼 큰 소리를 지르며 이렇게 외쳤다.

"아하하, 괜찮다! 사람이 실수할 수도 있지. 할렐루야! 할 수 있으니까 하나님이 주신 거겠지. 은혜도 주실 줄 믿습니다! 그 교회 목사님 잘못도 아니고, 이건 누구에게나 있을 수 있는 일이야! 잘할 수 있습니다! 주님이 도와주실 줄 믿습니다! 나는 이제 교회를 향해 달려갑니다. 아하하! 할렐루야!"

이 장면이 상상이 가는가? 아마 누가 봤으면 영락없이 미친 사람이라고 병원에 신고했을 것이다. 그렇게 소리 지르는 바람에 그렇지 않아도 잠겨 있던 목은 더 잠겨버렸다. 그럼에도 차 안에서의 나의 외침은 계속되었다.

"감사합니다! 감사합니다! 영어로 땡큐! 중국어 셰셰! 일본말로 아리가또라고 하지요."

어느 코미디 프로그램에 나오는 이런 노래까지 따라 부르며 소리를 지르고 또 큰 소리로 선포했다. 이렇게 하면서 짜증난 내 감정을 다스리려고 몸부림쳤는데, 내 감정을 추스르는 데까지 딱 5분이 걸렸다. 그렇게 차를 돌려 그날 밤부터 집회를 인도했는데, 정말이지 내 생각을 뛰어넘는 하나님의 은혜가 충만히 임했다. 우선 내 마음에 기쁨이 회복되었다. 아니, 회복된 정도가 아니라 기쁨이 넘쳤다. 이렇게라도 쓰임 받을 수 있는 것이 얼마나 감사했는지 모른다. 나는 이 일을 겪으며 기쁨은 은혜 가운데 주님이 주시는 것이기도 하지만 기뻐할 수 없을 때 애써서 기뻐하기로 결정하고 획득해야 하는 것임을 다시 한 번 깨달았다.

시편 57편의 힘

그날 이미 지칠 대로 지쳐버린 내게 어디서 그런 힘이 났을까? 내 마음에 늘 담고 있던 시편 57편의 힘 덕분이다. 시편 57편에서 다윗은 어떤 상황에 처해 있는가? 절대 권력을 가진 사울 왕에게 억울하게 쫓겨 다니다가 겨우 동굴로 몸을 피해 숨어들었다. 보통 우울증 걸린 사람에게 햇볕을 많이 쬐라고 말한다. 그런데 마음이 온통 상처투성이인 다윗이 어두컴컴한 동굴로 숨어들었으니 그 마음이 어땠겠는가? 아마 엉망진창이었을 것이다. 억울하고 분통이 터졌을 것이다. 그런 상황에서 쓴 시가 시편 57편이다. 그 시에 그의 울분이 고스란히 표현되어 있다.

> 그들이 내 걸음을 막으려고 그물을 준비하였으니 내 영혼이 억울하도다 시 57:6

그의 억울한 마음이 그대로 느껴지지 않는가? 그런데 놀라운 것은 다윗은 6절에 표현된 억울함, 그 억하심정에 매여 있지 않다는 것이다. "내 영혼이 억울하도다"라고 자신의 억울함을 표현했던 그가 바로 다음에 뭐라고 말하는가?

> 하나님이여 내 마음이 확정되었고 내 마음이 확정되었사오니
> 내가 노래하고 내가 찬송하리이다 내 영광아 깰지어다 비파야,

수금아, 깰지어다 내가 새벽을 깨우리로다 주여 내가 만민 중에
서 주께 감사하오며 뭇 나라 중에서 주를 찬송하리이다

시 57:7-9

다윗은 마치 내가 차 안에서 감정을 다스리고 조절하기 위해 큰 소
리로 외치고 선포하고 찬양을 불렀던 것처럼 그렇게 감정을 추스르며
이 시를 쓰고 있는 것이다. 지금 상황은 너무 억울하고 분해서 가슴이
터질 것 같지만 "내 마음이 확정되었고 확정되었사오니!"라고 외치며
"나는 노래할 것입니다. 나는 찬양할 것입니다. 사울은 날 죽이려고
하고 내 마음은 억울하여 우울증에 걸릴 지경이지만, 나는 이렇게 무
너지지 않습니다. 하나님께 감사하겠습니다!"라고 부르짖고 있는 것이
다. 자기 자신을 향한 절규이다.

억울함에 갇힌 사람 vs 억울함을 깨는 사람

그러면서 나는 이 세상을 사는 사람 가운데 두 종류의 사람이 있다
는 사실을 알았다. 한 부류는 시편 57편 6절에 갇혀 사는 사람으로, 날
마다 "내 영혼이 억울하도다"라고 토로하며 어두컴컴한 동굴 안에서
자기 자신을 괴롭히는 사람이다. 다른 한 부류는 그 6절을 깨뜨리고
박차고 나가는 사람이다. 자신의 우울한 감정과 상황에 얽매이지 않
고 자기 마음을 확정하여 뛰쳐나가는 사람이다.

다윗이 왜 "내 마음이 확정되었고 내 마음이 확정되었사오니"라고

두 번이나 고백했겠는가? 감정이라는 것이 한 번 결심한다고 되는 것이 아니기 때문이다. 될 때까지 확정하고 또 확정하는 것이다. 그래서 우울한 감정을 떨치고 하나님이 주시는 기쁨을 기어이 쟁취해내야 하는 것이다. 지금 다윗이 그 기쁨을 쟁취해내고 있는 것이다.

1월 1일 그날, 내가 만약 그 집회에 마지못해 가서 힘든 티 내면서 시큰둥한 모습으로 예배를 인도하고 왔다면 아무 죄 없는 성도들만 손해를 보지 않았겠는가? 지나고 생각하니 정말 아찔한 순간이다. 그런 죄를 짓지 않게 도우시고 지키신 하나님께 감사드리지 않을 수 없다. 그 때문에 내가 늘 하나님 앞에 기도하는 기도제목이 이것이다.

"하나님, 제 감정과 제 체력 때문에 혹여 성도들에게 손해가 가는 일 없게 해주세요. 제 감정을 다스려주세요."

이처럼 성령의 열매인 기쁨은 성령님이 주시는 선물이기는 하지만 그렇다고 해서 누워서 감 떨어지듯 기다려서 얻어지는 덕목이 결코 아니다. 말씀을 믿고 의지하고 실천함으로 내가 쟁취해야 하는 것이다. 우울하고 기분 나쁘고 원수들에게 둘러싸여 있을 때 그 상황에 함몰되지 않고 그 감정에서 빠져나올 때까지, 성령의 기쁨으로 나의 내면이 가득 채워질 때까지 끊임없이 내 마음을 확정하고 또 확정해야 한다.

내가 맛본 기쁨을 흘려보내라

그런가 하면 우리는 그렇게 쟁취한 기쁨을 나누어주어야 한다. 바로 이것이 복음 전도이다. 사도행전 8장에 보면 빌립이 사마리아 성에 내려가 복음을 전하는 장면이 나온다.

> 빌립이 사마리아 성에 내려가 그리스도를 백성에게 전파하니
> 무리가 빌립의 말도 듣고 행하는 표적도 보고 한마음으로 그가
> 하는 말을 따르더라 많은 사람에게 붙었던 더러운 귀신들이 크
> 게 소리를 지르며 나가고 또 많은 중풍병자와 못 걷는 사람이
> 나으니 그 성에 큰 기쁨이 있더라 행 8:5-8

이 말씀을 한 문장으로 요약하면 이렇다.

"그리스도를 백성에게 전파하니 그 성에 큰 기쁨이 있더라."

오늘날 교회가 잘못하고 있는 것이 바로 이 모습 아닌가? 우리가 먼저 제대로 된 기쁨을 누리지 못하니까 전도하는 것이 소음으로밖에 여겨지지 않는 것이다. 전도는 전도지 나누어주는 것이 아니라 주님으로부터 받은 기쁨을 흘려보내는 것이다. 전도의 결과는 "그 성에 큰 기쁨이 있더라"가 되어야 하는데, 오늘날 전도의 결과는 사람들의 눈살을 찌푸리게 하는 것뿐이지 않은가? 마음을 찢고 회개해야 한다. 우리가 제대로 전도하지 못한 결과이다.

세계적인 신학자이자 목회자인 존 파이퍼(John Piper)는 이런 말을 했다.

"선교란 내가 경험한 하나님을 아는 기쁨을 다른 사람들도 맛보게 하는 것이다."

그러기 위해서는 어떻게 해야 하는가? 내가 먼저 맛을 봐야 한다. 내가 먼저 알아야 한다. 그래야 기쁨을 나누어줄 수 있고, 다른 사람도 그 기쁨을 맛보게 할 수 있다. 내가 먼저 주님의 기쁨에 온전히 전이되는 은혜를 누리고 그 후에는 그 기쁨을 흘려보내는 삶을 살아야 한다는 것이다. 그래서 결론적으로 모든 그리스도인은 다음 말씀과 같은 삶을 살아야 한다.

> 근심하는 자 같으나 항상 기뻐하고 가난한 자 같으나 많은 사람
> 을 부요하게 하고 아무것도 없는 자 같으나 모든 것을 가진 자
> 로다 고후 6:10

주님을 모신 우리는 아무것도 없는 자 같아도 이미 모든 것을 가진 자이다. 우리 안에는 누구도 빼앗을 수 없는 기쁨이 있다. 우리 모두가 그 기쁨을 온전히 누리며 또 온전히 흘려보내는 참된 그리스도인의 삶을 살게 되기를 바란다.

03 | 희락 2

가짜 기쁨을 버리고
진짜 기쁨을 잡아라

《내 영혼의 샴페인》이란 책이 있다. 이 책의 저자인 마이크 메이슨 (Mike Mason)은 그 책에서 자기 자신에 대해 이렇게 소개한다.

"나는 거의 평생을 불안한 경계선 우울증 상태로 살아온 신경과민의 사람이다."

저자는 타고나기를 어두운 성격을 가지고 태어났다. 우울하고 어두운 성격 때문에 급기야 20대 후반에는 알코올 중독에 빠지고 말았다. 하루하루 암담한 삶을 살고 있었는데, 그러다 어느 날 갑자기 그는 이런 결단을 하게 됐다고 한다.

"나는 이제 앞으로 90일 동안 주님 안에서 기뻐하겠다."

그리고 흥미로운 실험을 한다. 자신의 천성적인 어둡고 우울한 기질과 막막한 환경을 뛰어넘어 90일 동안 주 안에서 기뻐하는 것이 과연 가능한지 직접 실험한 것이다. 그러면서 90일간 일기 쓰듯이 그 내용들을 기록하면서 점검한 책이 바로《내 영혼의 샴페인》이다.

그 결과가 참으로 흥미롭다. 저자가 말하기를, 자신이 그렇게 90일간 기뻐하기로 결단하고 실험해보니 실제로 기쁨이 밀려오더라는 것이다. 그리고 그렇게 찾아온 기쁨은 좀처럼 떠나지 않고 자기 내면 안에서 지속적으로 작동되더라는 것이다. 그 결과 놀랍게도 저자가 앓고 있던 우울증이 치료되었다고 한다.

그 책에는 이런 내용도 있다.

"여덟 살에 신경모세포종으로 죽은 제임스 비렉이라는 소년은 생전에 이렇게 말했다. '암 때문에 하루를 망칠 수는 없다.'"

정말 놀라운 이야기다. 여덟 살밖에 안 된 그 어린아이가 자신은 비록 암으로 일찍 죽게 되지만, 살아 있는 동안 암 때문에 즐겁고 기쁜 하루를 우울하게 망칠 수 없다고 생각하고 기뻐하기로 결단한 것이다. 당신도 이 책의 저자처럼 90일이든, 1년이든 시일을 정하여 기뻐하기를 한번 시도해보라. 우리가 기쁨을 쟁취하기 위해 노력하고 애쓸 때 성령님은 반드시 힘을 주시고 도와주신다는 것을 경험하게 될 것이다.

진짜 기쁨 vs 가짜 기쁨

그렇다면 우리가 누려야 하는 기쁨은 어떤 기쁨인가? 내가 즐겁고 흥겹고 좋으면 그것이 기쁨인가? 그런 기쁨을 흘러보내면 되는 것인가? 모든 것이 다 그렇지만 진짜가 있으면 가짜도 있다. 소중하고 귀한 것일수록 더욱 그렇다. 기쁨도 마찬가지다. 특히 기쁨은 그리스도인들의 표지(標識)라고 할 수 있을 만큼 중요한 덕목이기 때문에 사탄은 우리가 진정한 기쁨을 누리지 못하도록 사이비 기쁨으로 날마다 우리를 호도한다. 이 가짜 기쁨은 우리가 흔히 '세상적인 쾌락'이라고 부르는 것들이다.

전도서 2장을 보면, 진품 기쁨인 성령의 기쁨과 유사품인 세상적인 쾌락과 관련하여 솔로몬이 흥미로운 실험을 한다. 솔로몬은 이렇게 말한다.

> 나는 내 마음에 이르기를 자, 내가 시험삼아 너를 즐겁게 하리니 너는 낙을 누리라 하였으나 보라 이것도 헛되도다 전 2:1

쉬운성경은 이 말씀을 이렇게 번역한다.

> 나는 스스로 말하였다. "이제 내가 시험적으로 마음껏 즐기리니 쾌락이 무엇인지 알아보자." 그러나 그것 역시 허무한 일일 뿐이었다.

무슨 내용인가? 절대 권력자였던 솔로몬이 세상적인 쾌락을 통해 과연 진정한 기쁨과 행복을 얻을 수 있을지 실험한 것이다. 그러면서 두 가지 구체적인 실험을 하는데, 그 첫 번째 실험 내용이 3절 말씀이다.

> 내가 내 마음으로 깊이 생각하기를 내가 어떻게 하여야 내 마음
> 을 지혜로 다스리면서 술로 내 육신을 즐겁게 할까 전 2:3

솔로몬은 "육체적인 쾌락을 추구하여 과연 기쁨을 얻을 수 있는가?"를 먼저 실험해보았다. 그래서 화려한 파티를 열어보기도 하고 술로 향락을 즐기기도 하고 많은 여자들과 육체적 쾌락을 추구해보기도 했지만, 그 결론은 어땠는가?

> 이것도 헛되도다 전 2:1

그러자 그는 두 번째 실험을 한다. 두 번째 실험은 "일을 통한 성취감으로 내가 과연 기쁨을 얻을 수 있는가?"였다.

> 나의 사업을 크게 하였노라 내가 나를 위하여 집들을 짓고 포도
> 원을 일구며 여러 동산과 과원을 만들고 그 가운데에 각종 과목
> 을 심었으며 나를 위하여 수목을 기르는 삼림에 물을 주기 위하
> 여 못들을 팠으며 남녀 노비들을 사기도 하였고 나를 위하여 집

에서 종들을 낳기도 하였으며 나보다 먼저 예루살렘에 있던 모든 자들보다도 내가 소와 양 떼의 소유를 더 많이 가졌으며 은 금과 왕들이 소유한 보배와 여러 지방의 보배를 나를 위하여 쌓고 또 노래하는 남녀들과 인생들이 기뻐하는 처첩들을 많이 두었노라 전 2:4-8

규모와 양식은 다르겠지만 솔로몬의 이 모습이 오늘날 우리가 세상에서 추구하는 모습 아닌가? 아파트 평수를 더 늘리기 위해, 돈을 더 벌기 위해, 사람들의 인정을 더 받기 위해, 사업을 더 크게 확장하기 위해 일주일 내내 땀 흘리고 수고하며 애를 쓴다. 그렇게 열심히 일하고 그 성취감을 통해서 기쁨을 얻을 수 있는가? 솔로몬의 실험 결과는 어땠는가?

그 후에 내가 생각해 본즉 내 손으로 한 모든 일과 내가 수고한 모든 것이 다 헛되어 바람을 잡는 것이며 해 아래에서 무익한 것이로다 전 2:11

나를 위한 몸부림은 허망하다
성경은 인생의 지혜가 가득 담긴 지침서다. 이미 우리 믿음의 선조들이 살면서 경험하고 실험해본 결과들이 담겨 있다. 우리는 그것을 모르는 채 또 애쓰는 것이다. 솔로몬은 이미 오래 전에 절대 권력자로서 자신의 모든 부(富)와 권력을 동원해 세상의 성공과 육신의 쾌락을 추구하며 기쁨을 얻으려 애써봤지만, 그 결과는 허망할 뿐이었다. 그 입에서 나오는 말은 "헛되도다"라는 탄식뿐이었다.

솔로몬이 이토록 허망한 결과를 얻을 수밖에 없었던 이유는 무엇이 었을까? 그의 몸부림을 피력하는 성경구절을 가만히 살펴보면 계속 반복해서 나오는 한 마디가 있다. 그것은 바로 '나를 위하여'라는 문구이다.

> 나의 사업을 크게 하였노라 '내가 나를 위하여' 집들을 짓고 포도원을 일구며 … '나를 위하여' 수목을 기르는 삼림에 물을 주기 위하여 못들을 팠으며 남녀 노비들을 사기도 하였고 '나를 위하여' 집에서 종들을 낳기도 하였으며 나보다 먼저 예루살렘에 있던 모든 자들보다도 내가 소와 양 떼의 소유를 더 많이 가졌으며 은 금과 왕들이 소유한 보배와 여러 지방의 보배를 '나를 위하여' 쌓고 또 노래하는 남녀들과 인생들이 기뻐하는 처첩들을 많이 두었노라 전 2:4-8

'나를 위하여' 시도해 얻은 모든 것은 세상적인 쾌락으로 통용되는 '사이비 기쁨'이다. 이것을 기억해야 한다. 기쁨과 관련하여 우리 앞에는 두 갈래 선택길이 주어져 있다. 하나는 성령님이 주시는 성령의 열매로서의 진짜 기쁨의 길이고, 다른 하나는 나를 위해 내가 추구하여 얻는 사이비 기쁨인 세상적인 쾌락의 길이다.

두 가지 기준, 맛있는가? 유익한가?

얼마 전에 병원에 갔다가 의사로부터 엄중한 경고를 받았다. 반드시 운동을 해야 하고 과로를 피하고 특히 음식을 조절해서 먹어야 한다는 것이었다. 의사의 경고가 있었던 그날 이후로 음식에 대한 내 선택 기준과 태도가 바뀌었다. 이전까지 내가 음식을 선택하는 기준은 '맛있는가? 맛없는가?'였다. 나는 나이를 많이 먹도록 어린아이처럼 초콜릿이나 과자 같은 단 것을 무척 좋아했다. 담배를 피우지 않기 때문에 그럴 것이라는 이야기에 농담이지만 "차라리 담배를 피워야 하나?" 할 정도였다. 옆에서 어린아이가 먹고 있는 과자만 봐도 침이 넘어가고 뺏어 먹고 싶은 충동이 올라왔다.

그런데 권위 있는 의사의 경고 한 마디에 음식을 찾는 내 기준이 '이 음식이 맛있는가? 맛없는가?'에서 '이 음식이 내 몸에 유익한가? 해로운가?'로 바뀌었다. 특히 의사가 튀긴 음식은 절대로 먹으면 안 된다기에 이제는 튀긴 음식만 봐도 먹기가 싫어지고 얼굴이 돌아간다. 왜 그런가? 그 음식이 몸에 해롭다는 것을 알았기 때문이다.

그러면서 우리의 영혼도 마찬가지란 생각이 들었다. 우리는 대개 무언가를 선택할 때 그것이 우리에게 '얼마나 큰 즐거움을 주는가, 말초신경을 얼마나 자극하는가, 얼마나 쾌락적인가?' 하는 기준으로 선택한다. '내 영혼에 얼마나 유익한가, 해로운가?'에 대한 기준은 별로 염두에 두지 않는다. 이것이 우리의 무지함이다.

신앙이 자란다는 것은 바로 선택의 기준이 바뀌는 것이다. 예전에는 영혼이 망가지든 말든 그저 내게 즐거운 것, 기쁜 것, 쾌락을 주는 것을 선택했다면, 이제 신앙이 자라가면서 그 기준이 내 영혼에 유익한 것, 하나님이 기뻐하시는 것으로 선택 기준이 바뀌는 것이다.

나는 비록 어린아이 같은 식탐을 가지고 있어서 맛있는 것, 단 것을 원할지라도 영혼에 대해서만큼은 아무리 남들 모두 추구하는 것이라 할지라도 혹은 사람들이 아무리 큰 박수를 보내는 일이라 해도 '이것이 하나님 보시기에 기뻐하시는 일인가? 정말 내 영혼에 유익한 일인가?'를 기준으로 선택하려고 애를 쓴다. 또 늘 그런 선택을 할 수 있기를 간절히 바라고 기도하며 하나님의 도우심을 구한다. 이것이 바로 신앙이기 때문이다.

알아도 넘어지는 것이 우리의 연약함

불행하게도 우리는 이 기준조차 제대로 세워져 있지 않은 경우도 많지만, 설령 서 있다 할지라도 약해서 날마다 넘어진다. 우리 집 세 아이들의 이야기다. 우리 집의 세 아이들은 고기를 무척 좋아한다. 시도 때도 없이 고기 구워달라고 하고 고기라면 종류를 안 가리고 좋아한다. 고기가 없으면 여지없이 이런 불평이 튀어나온다.

"반찬이 풀밖에 없잖아! 우리가 토끼야?"

아이들이 너무 고기만 좋아하는 것이 염려되어 육식의 위험성과 동물학대에 관련된 다큐멘터리를 보여주었다. 동물을 사육하고 도살하는 과정에서 이루어지는 끔찍한 학대 장면을 보면 아이들도 충격을 받아서 더는 고기만 고집하지 않을 거라는 생각에서였다. 얼마나 잔인하고 끔찍한지 한 5분 지나자 아이들은 더 이상 안 보겠다고 일어서기 시작했다. 내가 봐도 비명이 나올 정도였다. 달래고 어르면서 억지로 앉혀서 보게 하니 한 10분쯤 지나자 효과가 나타났다. 나이가 어릴수록 참회도 빨랐다. 초등학교 6학년짜리 막내가 가장 먼저 양심선언을 했다.

"고기가 밥상에 올라오기까지 저런 끔찍하고 잔인한 일들이 있는지 몰랐어요. 앞으로는 고기를 먹지 않을 거예요!"

속으로 '할렐루야'를 외쳤다. 큰아이는 나이가 있는 만큼 좀 더 신중하고 비장했다. 개인 홈페이지에 "나는 오늘부터 고기를 먹지 않기로 결심합니다"라고 올려놓았다. 역시 시청각교육의 효과가 좋았다. 이제 아이들이 고기만 고집하지 않고 야채나 다른 반찬도 골고루 먹겠구나 하는 마음에 왠지 안심이 되고 흐뭇한 마음도 들었다.

그런데 웬 걸, 효과가 딱 이틀 갔다. 하루 겨우 고기 안 먹고 참더니 바로 다음 날 "엄마, 고기 구워주세요"라고 조르는 것이 아닌가? 식탁에서는 어느새 고기가 지글지글 구워지고 있었다. 그 모습을 보고 있자니 너무 어이가 없어서 막내에게 한마디 했다.

"와, 해도 진짜 너무한다. 그렇게 동물이 잔인하고 비참하게 죽어가는 모습을 보면서 다시는 고기 안 먹겠다고 한 게 이틀 전이다. 두 달만 돼도 아빠가 아무 말 안 한다. 어떻게 이틀 만에 결심이 바뀌니?"

그랬더니 이 녀석의 대답이 가관이다.

"아빠! 고기 먹는 동안에는 그 생각 안 나게 좀 해주세요!"

죄악에 인이 박혀버린 영혼의 입맛

막내의 그 한마디 안에 오늘날 우리 그리스도인의 실체가 담겨 있다는 것을 발견했다. 우리는 정답을 아는 사람들이다. 우리는 그리스도인으로서 무엇이 우리 영혼에 해로운지, 무엇이 유익한지 구별하며 사는 자들이다. 그러나 우리는 우리 아이들처럼 이미 고기 맛을 너무 많이 알아버렸다. 세상의 고기 맛에 인이 박혀버린 것이다. 그래서 정답을 알면서도 애써 외면하며 고기 맛을 취하고 있는 것이다.

"아빠! 세상에 있는 동안에는 그 생각 안 나게 좀 해주세요!"

이것이 엿새 동안 세상에 살면서 우리가 외치는 영적인 외침 아닌가? 세상에서 하나님의 뜻과 상관없이 내 마음대로 세상 쾌락을 추구하다가 양심에 가책이 들면 어떻게 해야 하는가? 잔인했던 그 장면을 떠올리고 식욕을 억제해야 하는데, 그리스도인의 기준을 생각하고 세상 쾌락을 물리쳐야 하는데 도리어 뭐라고 절규하는가?

"고기 먹을 동안에는 그 생각 안 나게 좀 해주세요! 내가 세상에서 쾌락을 추구하는 동안에는 그 기준 생각 안 나게 좀 해주세요!"

우리 영혼이 지금 이런 상태 아닌가? 정답을 알지만 생각하고 싶지 않은 것이다. 십자가를 떠올리고 싶지 않은 것이다.

어느 칼럼에서, 인간은 혀로 느끼는 맛 중에서 단맛에 매우 강하게 끌린다고 했다. 그러면서 그 예로 두유를 들었다. 두유는 원래 우유를 소화시키지 못하는 젖먹이를 위해 모유 대용으로 만들어진 것이라고 한다. 처음에는 두유의 당도를 어머니의 모유와 비슷한 정도로 만들었다. 그런데 두유가 잘 팔리자 모 회사에서 기존의 두유보다 단맛이 더 많이 나도록 당도를 높인 제품을 출시했다고 한다. 갓난아이가 당도를 높인 그 달달한 두유의 맛을 보고는 그 후부터 기존에 먹던 두유는 혀끝으로 밀어내더라는 것이다. 그러면서 칼럼에 이렇게 써 놓았다.

"입맛이 오염되지 않은 젖먹이도 단맛 앞에서는 무너지고 만 것이다."

이것이 단 맛이 가진 강한 자극이다. 우리는 육체의 건강을 위해서 '내 몸에 유익한 것, 해로운 것'의 기준으로 음식을 선택해야지 '맛있는 것, 맛없는 것'의 기준으로만 음식을 대하면 안 된다. 마찬가지로 우리는 이 땅을 살면서 '이것이 내게 얼마나 즐거운가, 얼마나 큰 쾌락과 만족을 주는가?'의 기준으로 사는 것이 아니라 '이것이 하나님 보시기에 옳은 일인가, 내 영혼에 유익한가?'의 기준으로 살아야 한다. 그런데 그렇게 하지 못하는 까닭은 갓난아기 때부터 이미 자극이 강한 세상의 단맛에 너무 익숙해져버렸기 때문이다.

영혼의 입맛을 바꾸기 위한 두 가지 노력

그렇다면 우리는 이제 어떻게 해야 하는가? 어떻게 하면 세상의 단맛이 아닌 영혼의 유익을 좇아 살 수 있겠는가? 우리는 두 가지의 회복을 위해서 기도해야 한다.

첫째, 참된 지식의 회복을 위해 기도하라

나는 요즘 밥상을 보면 '이것은 내가 먹어도 되는 것, 저것은 안 되는 것'에 대한 분석이 한눈에 이뤄진다. 그리고 일부러 당근이나 토마토 같은 몸에 좋은 것들을 가지고 다니면서 먹곤 한다. 그리고 과자나 초콜릿 같은 것들은 가급적 눈에 띄지 않도록 한다. 눈에 보이면 먹게 되기 때문이다. 내가 이렇게 노력하는 것은 정답을 알기 때문이다. 우리가 참된 지식을 회복하는 것은 이토록 중요하다.

참된 지식의 회복을 구하는 것이 얼마나 중요한지는 느헤미야서에 잘 나타나 있다.

이스라엘 백성은 하나님 앞에 범죄하여 바벨론의 포로로 끌려갔다. 그렇게 포로로 끌려갔다가 하나님의 은혜로 드디어 고국으로 돌아오게 되었다. 느헤미야서 8장을 보면 그런 어수선한 상황에서 백성들이 수문 앞 광장에 모여 있다. 그리고 제사장 에스라가 읽어주는 하나님의 율법에 귀를 기울이고 있다.

하나님의 율법책을 낭독하고 그 뜻을 해석하여 백성에게 그 낭

독하는 것을 다 깨닫게 하니 백성이 율법의 말씀을 듣고 다 우

는지라 느 8:8,9

하나님의 율법을 듣고 깨달은 이스라엘 백성은 어떤 반응을 보였는가? 모두 울었다. 자기들이 영적 지식이 없어 바벨론 포로로 끌려갔을 때 하나님 보시기에 너무도 부끄러운 삶을 살았다는 사실을 자각하자 참회하는 마음이 든 것이다. 눈물이 흐르고 회개가 터졌다.

이 말씀을 보면서 깨달은 것은, 우리가 진정한 기쁨을 회복하기 위해서는 그 전 단계로 참회의 눈물이 필요하다는 것이다. 회개가 필요하다. 내가 얼마나 무지했는지, 그 무지로 인해 세상 단맛에 길들여진 채 사이비 기쁨만을 추구하며 살아왔던 자신의 지난 삶을 돌아보며 애통하는 시간이 반드시 필요하다.

이스라엘 백성이 눈물을 흘리며 애통해 하자 지도자인 느헤미야와 에스라는 "슬퍼하지 말고 울지 말라"고 위로하며 이렇게 권면한다.

느헤미야가 또 그들에게 이르기를 너희는 가서 살진 것을 먹고 단 것을 마시되 준비하지 못한 자에게는 나누어주라 이날은 우리 주의 성일이니 근심하지 말라 여호와로 인하여 기뻐하는 것이 너희의 힘이니라 하고 느 8:10

"여호와로 인하여 기뻐하는 것이 너희의 힘이니라!"

이것이 참된 지식이다. 참된 지식이 선포된 것이다. 솔로몬처럼 나를 위해서, 내 유익을 위해서, 내 쾌락을 위해서 아무리 발버둥 쳐도 얻을 수 없는 것이 참된 기쁨인데, 그 고리를 끊어버리고 여호와를 기뻐하는 것, 여호와로 기뻐하는 것이 우리의 진정한 힘이 된다는 사실을, 그 참된 지식을 이스라엘 백성이 깨닫게 된 것이다. 그러자 울고 있던 백성이 어떻게 변하는가?

> 모든 백성이 곧 가서 먹고 마시며 나누어 주고 크게 즐거워하니
> 이는 그들이 그 읽어 들려준 말을 밝히 앎이라 느 8:12

우리가 참된 지식을 안다는 것이 이토록 소중하다. 이것이 교회의 강단이 살아 있어야 하는 이유이다. 어떤 달콤한 위로도, 다른 어떤 메시지로도 회복할 수 없는 참된 기쁨이 살아 있는 성령의 올바른 영적 지식이 선포될 때 우리 내면에 가득 차고 흘러넘칠 것이다. 참된 기쁨이 회복될 것이다!

둘째, 깨닫게 된 지식을 행할 수 있는 힘을 구하라

참된 지식을 아는 것보다 더 중요한 것은 깨닫게 된 지식을 행할 수 있는 힘을 달라고 구하는 것이다. 참된 지식을 아는 것만으로는 소용 없다. 알게 된 그 지식을 행할 수 있는 능력이 우리 안에 회복되어야 한다. 우리는 불행하게도 이 두 가지 중 하나가 혹은 둘 다 결핍되어

있는 경우가 많다.

《내 영혼의 샴페인》의 저자는 '크게 기뻐하다'라는 뜻의 영어 단어 'rejoice'를 're + joice'로 설명한다. '기쁨'이라는 단어 안에 '다시'(re)라는 뜻이 들어 있는 것처럼 어두운 세상을 살아가는 우리가 진정한 기쁨의 의미를 누리기 위해서는 반복해서 그 메시지를 들어야 한다. 그러면 언제까지 그 말씀을 들어야 하는가? 반복되는 그 메시지로 인해 내 안에 그것을 지키고 행할 수 있는 능력이 생길 때까지 반복해야 한다. 아는 것만으로는 충분하지 않기 때문이다.

또한 그 책의 저자가 주장하는 다른 한 가지는 기쁨은 호흡과 같다는 것이다.

공기 좋은 곳에 등산을 갔다고 상상해보라. 공기가 좋다고 내쉬는 것이 아까워 계속 들이마시기만 한다면 어떻게 되겠는가? 아마 배가 부풀어 잘못되거나, 아니면 숨이 막혀 죽었을 것이다. 들이마셨으면 반드시 내뱉어야 한다. 그것이 기쁨이다. 이 내용을 저자는 이렇게 표현했다.

"기쁨은 호흡과 같다. 들이쉬는 것만으로 부족하다. 내쉬기도 해야 한다. 한마디로 기뻐하라. 당신의 기쁨을 퍼뜨려라. 누군가를 안아주라. 춤추라. 힘이 돼주는 말을 해주어라. 편지나 책을 써라. 행복에 대해서 생각만 하지 말고 행복하게 살라. 기쁨은 몸으로 표현되고 실현되고 생활화되기를 갈망하고 있다."

정말 멋진 표현이다. 기쁨이 우리 삶 속에서 표현되고 실현되고 생활화되기를 갈망하고 있다는 것이다.

나는 여기에서 오늘날 우리가 왜 기쁨을 온전히 누리지 못하고 있는지 그 이유를 발견했다. 우리는 들이마시기만 하고 내뱉지는 않고 있었던 것이다.

우리는 참 지식을 깨달음으로 기쁨을 회복해야 한다. 이것이 들이마시는 것이다. 그 다음에는 어떻게 해야 하는가? 내뱉어야 한다. 알게 된 참 지식을 행동으로 옮길 수 있어야 한다. 그 기쁨을 표현하는 것으로, 주변 사람들에게 나누어주는 것으로 내뱉어야 하는 것이다. 즐거워하고 기뻐하고 행복을 퍼뜨리고 누군가를 안아주고 기뻐 춤을 추고 힘이 되는 격려의 말을 해줌으로써 우리 안에 회복된 기쁨을 내뱉을 때 깨닫게 된 참 지식이 힘을 발휘하게 된다.

우리는 이 훈련이 부족하다. 가족에게조차 사랑의 말, 격려의 말을 하는 데 인색하다. 들이마신 기쁨을 마음껏 내뱉어야 한다. 가족에게, 친구에게, 이웃에게, 회사 동료에게 기쁨을 표현하고 마음을 전하고 격려함으로써 기쁨을 내뱉을 때 우리 안에 기쁨이 증폭될 것이다.

쫓겨 다닌 다윗의 기쁨, 쫓아다닌 사울의 근심

진정한 지식을 깨닫는 것, 그리고 깨닫게 된 그 지식을 실천하는 것, 이 두 가지를 회복하게 될 때 우리는 빼앗기지 않는 기쁨을 소유하게 될 것이다. 그런가 하면 기쁨은 성령의 열매이기 때문에 성령의 역사가 일어날 때 우리 안에 임하게 된다. 참 지식을 깨닫는 것도, 그 지식을 행하는 힘을 얻는 것도 역시 성령의 도우심이 있을 때 가능하기 때문이다. 누구에게도 빼앗기지 않는 기쁨을 소유했던 다윗의 기사를 보면 그 사실을 분명히 알 수 있다.

사무엘상을 보면 쫓겨 다니는 다윗과 칼자루를 쥐고 다윗을 쫓던 사울의 상태에 관한 흥미로운 본문을 발견할 수 있다.

> 사무엘이 기름 뿔병을 가져다가 그의 형제 중에서 그에게 부었더니 이날 이후로 다윗이 여호와의 영에게 크게 감동되니라 사무엘이 떠나서 라마로 가니라 여호와의 영이 사울에게서 떠나고 여호와께서 부리시는 악령이 그를 번뇌하게 한지라
>
> 삼상 16:13,14

다윗은 여호와의 영에 크게 감동되었으나 반대로 사울은 어떻게 되었는가? 여호와의 영이 사울에게서 떠나고 여호와께서 부리시는 악령이 그를 번뇌하게 했다. 여호와의 영에 감동된 다윗은 시편 57편에서 볼 수 있는 것처럼 어떤 상황에서도 빼앗기지 않는 기쁨을 소유했다. "내 영혼이 억울하도다"라고 하면서 마음의 분노와 쓴물이 나올 때에도 하나님의 능력으로 "내 마음이 확정되고 확정되었사오니"라고 찬양할 수 있었다. 반면 모든 권력을 쥐고 다윗을 죽이려고 한 사울은 아이러니하게도 악령으로 인해 번뇌에 싸이고 말았다. 다윗과 사울의 입장이 묘하게 뒤바뀐 것이다.

여기서 중요한 사실 하나를 깨달을 수 있었다. 하나님과의 관계가 깨지고 하나님의 영이 떠나버린 인생은 악령이 번뇌하게 한다는 것이다. 이유 없이 마음에 번뇌가 가득하다. 이럴 때 밝은 음악 듣는다고 마음의 번뇌가 해결되지 않는다. 하나님과의 관계가 회복되어야 한다. 그것을 위해 먼저 하나님 앞에 회개해야 한다. 그래야 번뇌가 그치고 기쁨이 회복될 것이다.

악령이 사울을 번뇌한 것과 반대로 다윗에게는 하나님의 영이 임했다. 사무엘상 16장 13절의 "여호와의 영에게 크게 감동되니라"라는 부분을 영어성경으로 보면 이렇게 표현되어 있다.

"And from that day on the Spirit of the LORD came upon David in power."

다윗이 선천적으로 좋은 성격과 기질을 타고났기 때문에 그렇게 된 것이 아니다. 여호와의 성령이 그에게 임하시되 'in power', 곧 능력으로 임하셨기 때문이다. 다윗 안에서 역사하시는 성령께서 삶의 어두운 먹구름에 함몰되지 않도록 능력으로 찾아와주셨기 때문에 다윗이 어떤 상황 가운데서도 활력 있는 삶을 살 수 있었던 것이다.

우리 역시 타고난 기질 자체가 우울하고 어두워도 괜찮다. 우리의 기질과 상관없이 성령님을 초청하고 성령께서 내 안에서 능력으로(in power) 일하시기 시작하면 우리도 다윗처럼 환경을 뛰어넘는 기쁨을 소유하게 될 것이다. 능력이 기쁨으로 나타나게 될 것이다!

예배의 회복이 능력과 기쁨의 회복이다

그렇기 때문에 우리가 진정한 기쁨을 회복하기 위해서는 먼저 예배의 회복을 위해 몸부림쳐야 한다. 성령께서 능력으로 함께하시는 인생이 되기 위해서는 무엇보다 예배의 회복이 우선이기 때문이다. 지금 한국 교회는 예배의 위기를 맞고 있다. 예배에 지각이 속출하고 있다. 예배를 인도하다 보면 예배가 끝날 때 들어오는 사람들이 있다. 그뿐인가? 축도가 채 끝나기도 전에 서둘러 나가는 사람들도 많다. 이런 식으로 예배드리면 우리 삶에 아무런 일도 일어나지 않는다.

하나님은 인격자이시다. 우리가 하나님 앞에 전심으로 예배드리며 진정한 예배자로 서지 않으면 하나님께서는 그 예배를 받지 않으신다. 하나님이 받지 않으시는 예배를 통해서는 어떤 능력도, 어떤 기쁨의 회복도 기대할 수 없다. 그렇기 때문에 진정한 기쁨이 우리에게 능력으로 임하기를 원한다면 무엇보다 예배의 회복을 위해 애써야 한다.

예배의 회복이 얼마나 중요한지 알 수 있는 사건이 하나 있었다. 언젠가 후배 목사로부터 이메일을 한 통 받았다. 그 후배 목사가 우울증에 걸렸다가 하나님의 은혜로 치유를 받았다는 내용이다.

제가 작년 1월에 우울증에서 치유되는 기적을 경험하고 즉시 일어난 변화가 예배 감격의 (재)회복이었습니다. 저는 그때까지 제가 예배를 열심히 드리고 있다고 생각했습니다. 예배를 드리기도 하고, 인도하기도 하는 입장이어서 그렇게 생각한 게 어찌 보면 당연하죠. 그런데 제가 모든 면에서의 전환과 치유를 경험하면서 하나님 앞에서의 제 태도의 모든 부분을 재점검하게 되더군요. 그러면서 예배 시간마다 하나님께 부르짖으며 기도하고, 예배하기 시작했습니다.

'하나님 제가 지금 이 시간 목숨 걸고 제 모든 것을 걸고 예배드리겠습니다. 이 예배를 통해 제 치유가 확실한 것임을 제 온 인격으로 느끼게 하옵소서.'

그렇게 예배드리는 자세가 달라지자 제 심령에 변화가 오기 시작했습니다. 마음 깊은 곳에서부터 몇 년간 누리지 못했던 평안과 활력, 기쁨이 생겨난 것이죠. 평안과 기쁨이 완전히 제 몸을 휘감는 느낌이었습니다. 예전에도 충분히 즐겁다고 착각했었습니다. 그런데 예배가 회복되니 진짜 행복이 뭔지, 잊었던 기억을 다시 찾았습니다. 잊었던 보물을 되찾은 기분입니다.

이것이 예배이다. 예배 시간에 느지막이 와서 채 끝나기도 전에 일어나 나가는 예배로 자기만족은 있을지 몰라도 진정으로 예배를 드린 것은 아니다. 예배는 몰입이다. 토요일 저녁에 주일 예배를 위해 잠을 일찍 청하는 것부터 예배는 시작된다. 예배에 온 마음을 쏟고 일시적인 감정이 아닌 진정한 기쁨의 회복을 경험할 때까지 집중해야 하는 것이 예배이다. 그런 진정한 예배가 우리를 살린다. 한번 해보라. 목숨 걸고 예배드려보겠다고 작정해보라. 이전에 결코 경험하지 못했던 참된 기쁨을 반드시 맛보게 될 것이다.

능력으로 채워진 기쁨은 영향력이 된다

하나님의 영에 감동된 다윗과 악령으로 번뇌하던 사울은 어떻게 되었는가? 사무엘상 16장 23절 말씀이다.

> 하나님께서 부리시는 악령이 사울에게 이를 때에 다윗이 수금
> 을 들고 와서 손으로 탄즉 사울이 상쾌하여 낫고 악령이 그에게
> 서 떠나더라 삼상 16:23

다윗이 수금을 탈 때 악령으로 번뇌하던 사울이 상쾌하여 낫고 악령이 그에게서 떠났다. 어떻게 다윗에게서 이런 영향력이 나올 수 있었는가? "그날 이후로 다윗이 여호와의 영에게 크게 감동"되었기 때문이다. 성령의 능력이 우리 안에 기쁨을 회복시켜주시면 나 자신도 회복될 뿐 아니라 주변의 수많은 사람들에게로 그 기쁨은 전해진다. 내 안에 능력으로 채워진 기쁨이 영향력으로 흘러나가는 것이다.

당신은 어떤 사람인가? 누군가 당신을 만나고 나면 그 사람의 기분이 밝아지는가? 아니면 신랄하게 지적하고 올바른 이야기를 잘해서 수긍은 가지만 당신을 만나고 나면 우울해지고 마는가? 우리 모두 다윗과 같이 우리 안에 가득한 참된 기쁨의 능력으로 다른 이들에게 치유

와 회복의 영향력을 끼치는 사람이 되기를 바란다. 누구라도 나를 만나면 그 인생이 밝아지고 용기가 생기고 삶의 활력이 넘치고 기쁨이 일어나며 자발적인 회개가 일어나는 그런 기쁨의 능력을 발휘하는 삶을 살게 되기를 바란다. 나는 정말 그런 가치 있는 인생을 살고 싶다.

그것은 내 인격, 내 노력으로 가능한 것이 아니다. 'in power', 오직 능력으로 임하시는 성령님으로 가능하다! 그 성령의 능력이 우리 모두에게 임하게 되기를 간절히 소원한다.

참된 평강은
온전한 관계에서 나온다

아시시의 프란체스코(1182~1226)가 남긴 〈평화의 기도〉라는 유명한
시가 있다.

오, 주여!
나로 하여금 당신의 평화의 도구가 되게 하소서.

미움이 있는 곳에 사랑을
범죄가 있는 곳에 용서를
분쟁이 있는 곳에 화해를

잘못이 있는 곳에 진리를
의심이 있는 곳에 믿음을
절망이 있는 곳에 희망을
어둠이 있는 곳에 광명을
슬픔이 있는 곳에 기쁨을 심게 하소서.

오, 하나님이시여!
위로받기보다는 위로하게 하시고
이해받기보다는 이해하게 하시고
사랑받기보다는 사랑하게 하소서.

주는 가운데서 받고
용서하는 가운데서 용서받고
죽는 가운데서 영생을 얻기 때문입니다.

대학교 다닐 무렵 이 시를 가사로 만든 찬양이 좋아서 워크맨에 항상 넣어 다니면서 들었던 기억이 있다. 새삼스럽게 그 찬양과 이 시를 떠올리게 된 것은 오늘 이 시대에 모든 예수 믿는 사람들이 갈망해야 할 기도제목이 '평화의 기도'라는 생각이 들었기 때문이다.

왜 그런가? 시대적인 상황 때문이다. 지금 이 시대는 반목과 다툼이 난무하는 시대다. 온 한반도가 분열과 질시로 몸살을 앓고 있다. 가끔씩 집회를 위해 외국에 나갈 때마다 좋은 것 중 하나는 신문을 안 볼수 있다는 것이다. 신문을 일주일만 안 봐도 영혼이 살아나는 것 같다. 신문을 탁 펼치는 순간 벌써 미움과 분노와 다툼과 증오가 펄펄 살아 올라오는 것 같다.

이런 시대를 살고 있기 때문에 오늘날 예수 믿는 우리는 더더욱 하나님이 기뻐하시는 평화를 소유하고 그 평화를 흘러보내며 유통시키는 평화의 사도로서의 사명을 감당해야 한다. 하나님께서는 그 어느 때보다 이 시대를 사는 우리에게 그 사명을 원하고 계실 것이다.

미국의 저명한 기독교 윤리학자인 리처드 니버(Richard Niebuhr)는 이런 말을 했다.

"기독교가 사랑으로 평화를 유지하지 못하면 스스로 실패를 인정하고 그리스도의 교회라는 간판을 내려야 한다."

다소 과격한 표현이기는 하지만 그만큼 우리 예수 믿는 성도들과 평화의 구현이 밀접한 관계에 있다는 것을 강조하는 메시지이다.

하나님이 주신 화평의 언약

이사야서 54장 10절에 이런 말씀이 있다.

> 산들이 떠나며 언덕들은 옮겨질지라도 나의 자비는 네게서 떠나지 아니하며 나의 화평의 언약은 흔들리지 아니하리라 너를 긍휼히 여기시는 여호와께서 말씀하셨느니라 사 54:10

에스겔서 34장 25절에도 같은 내용의 말씀이 기록되어 있다.

> 내가 또 그들과 화평의 언약을 맺고 악한 짐승을 그 땅에서 그
> 치게 하리니 그들이 빈 들에 평안히 거하며 수풀 가운데에서 잘
> 지라 겔 34:25

이 두 구절 모두 이스라엘 백성의 바벨론 포로기와 연관이 있는 말
씀이다. 하나님과 언약관계에 있던 이스라엘 백성은 하나님과 맺은
언약을 무시하고 하나님 앞에 범죄하며 우상을 숭배함으로써 하나님
의 징계를 받아 바벨론의 포로로 끌려가는 비참한 결과를 맞게 되었
다. 이 두 말씀은 이스라엘 백성이 하나님 앞에 범죄함으로 바벨론 포
로로 잡혀간 상황이지만, 여전히 그 언약은 유효하며 회개하고 돌아
올 때 다시 한 번 하나님의 화평의 언약이 그들 삶에 구현될 것을 선포
하는 말씀이다.

'화평의 언약'이라고 할 때 '언약'은 무슨 뜻인가? 기독교에서 '언
약'만큼 중요한 개념도 없을 것이다. '언약'을 맺는다는 것은 '계약
관계'에 있다는 뜻으로 쌍방 간에 의무가 있다는 말이다. 다시 말해서,
하나님께서 하셔야 할 일이 있고 또 인간이 할 일이 있다는 것을 뜻한
다. 그런데 인간은 끊임없이 언약을 파기하고 깨뜨리고 있다. 그럼에
도 하나님께서는 끝까지 포기하지 않으시고 끊임없이 우리에게 새로
운 언약을 주고 계신다. 그렇다면 하나님께서 이토록 거듭하여 주시

는 언약은 무슨 의미일까? 히브리서 기자는 이렇게 말한다.

> 또 주께서 이르시되 그 날 후에 내가 이스라엘 집과 맺을 언약
> 은 이것이니 내 법을 그들의 생각에 두고 그들의 마음에 이것을
> 기록하리라 나는 그들에게 하나님이 되고 그들은 내게 백성이
> 되리라 히 8:10

하나님께서 우리에게 주시는 언약의 의미는 바로 하나님이 우리와 관계를 맺어주시겠다는 것이다. 교회에서 동역하는 교역자들을 보면 크게 두 갈래로 나눌 수 있다. 한 부류는 '관계'로 다가오는 교역자들이고 또 다른 부류는 '기능'으로 다가오는 교역자들이다.

사실 편한 것은 일과 기능으로 다가오는 관계이다. 그러나 마음에 오래 남는 사람, 훗날 다른 곳에 가서 사역하게 되더라도 여전히 교제하게 되는 사람은 관계로 다가오는 교역자이다. 하나님은 우리와 관계를 맺기 원하신다. 이것이 언약이다. 그래서 하나님과의 올바른 관계가 회복되면 화평의 언약에 따라 우리에게 평화를 선물로 주시겠다고 약속하시는 것이다. 그런데 현실은 어떤가? 당신은 다음과 같은 질문에 어떻게 대답하겠는가?

"당신의 가정 안에 평화가 머물고 있는가? 당신 안에는 평화가 있는가? 당신의 교회는 평화를 특징으로 하는 교회인가? 오늘날 '교회' 하면 가장 먼저 떠오르는 것이 평화 또는 피스메이커와 같은 것들인가?"

아마도 자신 있게 "그렇다!"라고 대답하기가 쉽지 않을 것이다. 이 문제에 대해 생각하자니 마음이 무거워졌다. 왜 오늘날의 현실은 교회가 평화의 상징이라는 말보다는 가슴 아픈 이야기만 들려올까? 최근에도 '어느 교회가 둘로 나뉘었다, 목사가 쫓겨났다, 교회에서 싸움이 났다'와 같은 가슴 아픈 소식들이 여러 차례 들려왔다. 이것이 오늘날 현실이다. 왜 이런 일들이 일어나는 것인가?

눈물 흘리시는 예수님

그러면서 성경을 묵상하다 보니 오늘날 우리의 상황이 누가복음 19장에 나오는 상황과 비슷하다는 생각이 들었다. 누가복음 19장에 어떤 상황이 펼쳐지고 있는가?

> 가까이 오사 성을 보시고 우시며 이르시되 너도 오늘 평화에
> 관한 일을 알았더라면 좋을 뻔하였거니와 지금 네 눈에 숨겨졌
> 도다 눅 19:41,42

예수님이 예루살렘 성을 보며 울고 계신다. 그러면서 "너도 오늘 평화에 관한 일을 알았더라면 좋을 뻔하였거니와 지금 네 눈에 숨겨졌도다"라고 탄식하신다. 이 말이 무슨 뜻인가? 평화에 대한 잘못된 인식이 그들의 눈을 가리고 있다는 것이다. 그런 위장된 평화가 어떤 결과를 초래할 지 예수님은 아셨기 때문에 눈물 흘리며 탄식하고 계신 것이다.

날이 이를지라 네 원수들이 토둔을 쌓고 너를 둘러 사면으로 가
두고 또 너와 및 그 가운데 있는 네 자식들을 땅에 메어치며 돌
하나도 돌 위에 남기지 아니하리니 이는 네가 보살핌 받는 날을
알지 못함을 인함이니라 하시니라 눅 19:43,44

그들의 무지가 어떤 결과를 초래했는가? 원수들이 그들을 사면으로
가두고 땅에 메어치며, 성의 돌 하나도 돌 위에 남기지 않고 다 무너뜨
리는 날이 이르게 될 것이다. 정말 두려운 결과가 아닐 수 없다.

묵상하는 내내 두 장면이 머릿속에 잔상으로 남았다. 하나는 예루
살렘을 바라보시며 울고 계시는 주님의 모습이고, 또 하나는 예루살
렘이 파괴되어 돌 위에 돌 하나도 남지 않은 비참한 상황이다. 그러면
서 내 마음에 두려움이 엄습해왔다.

'과연 오늘날 한국 교회는 예수님이 기뻐 춤추시게 하는 교회인가,
아니면 탄식하시며 눈물 흘리게 만드는 교회인가?'

이 질문이 내 머리를 가득 채웠다. 그리고 한국 교회가 회개하지 않
고 각성하지 않아 장차 돌 위에 돌 하나도 남지 않는 비참한 결과가 일
어난다면 어떻게 할 것인가 하는 두려움도 몰려왔다.

샬롬을 주시려는 주님, 팍스 로마나를 바라는 백성

당시 이스라엘 백성들이 무슨 잘못을 했기에 예수님이 눈물까지 흘
리셨는가? 예수님은 그들이 평화에 관한 참 지식이 없다고 지적하셨

다. 그렇다면 평화에 관한 참 지식은 무엇인가? 여기에 대한 답을 찾기 위해 계속 묵상하면서 성경 여러 본문을 찾아보기도 하고 인터넷과 다른 여러 자료를 찾아보았다. 그러다 나의 갈급함에 신실하게 응답하시는 하나님의 인도하심으로 어느 목사님의 글을 보게 되었다. 그리고 그 글에서 그토록 찾던 답을 발견할 수 있었다.

그 분은 철학적으로 평안을 둘로 나눌 수 있다고 이야기한다. 하나는 '팍스 로마나'(Pax Romana)의 평화이고 다른 하나는 '히브리식 평화'이다.

'팍스 로마나'의 '팍스'(pax)에서 영어 '피스'(평화, peace)가 파생되었는데, '팍스 로마나'를 우리말로 하면 '로마식 평화'라는 뜻이다. 로마식 평화는 어떤 평화인가? 힘으로 눌러서 얻는 평화이다. 군대를 동원하고 반대하는 사람을 숙청해서 얻는 평화이다. 과거 우리나라 독재정권 때 그렇지 않았는가? 무력으로 다스리고 술자리에서 말 한 마디만 잘못해도 끌려가 모진 탄압을 받았던 그때 추구했던 것이 '팍스 로마나'이다.

반면 '히브리식 평화'를 상징적으로 드러내는 단어는 '샬롬'이다. '샬롬'은 상대방을 힘으로 누르고 억압하고 죽여서 얻는 평화가 아니라 글자 그대로 하나님과의 관계 회복에서 일어나는 평안의 상태를 말한다.

예수님이 지금 왜 울고 계신가? 주님은 이 땅에 오셔서 그들의 죄를 용서해주시고 십자가를 지심으로 진정한 '샬롬', 곧 하나님과의 화해를 통한 참 평화를 주기 원하신다. 그러나 백성들은 참 평안은 외면한 채 예수님에게 있는 귀신 쫓아내고 병든 자들을 고치시는 능력만 바라보며 그런 예수님을 앞세우면 로마와 대항할 수 있을 거라는 '팍스 로마나'만 꿈꾸고 있기 때문이다.

가룟 유다와 삭개오

우리는 보통 가룟 유다를 은 삼십에 눈이 멀어 예수님을 팔아넘긴 자로 이야기한다. 물론, 틀린 말은 아니다. 하지만 예수님을 배반한 데는 돈이 전부가 아니었을 것이다. 일부 학자들은 가룟 유다가 당시 열심당원이었다고 주장한다. 열심당원은 자기 민족이 힘이 없어서 로마의 침략에 무너진 것에 울분을 품고 복수를 꿈꾸던 자들이었다. 그들은 무력을 통해서라도 독립을 쟁취해야 한다고 주장했다. 열심당원이었던 가룟 유다가 예수님을 보고 무슨 생각을 했겠는가? 능력이 많으신 예수님을 중심으로 세력을 규합하면 로마에 대항할 수 있겠구나, 로마의 '팍스 로마나'에 '팍스 로마나'로 대항할 수 있겠구나 하는 기대감으로 예수님을 따랐을 것이다.

그런데 점점 갈수록 예수님이 하시는 말씀은 그에게 실망만 안겨주었다. '원수를 사랑하고 용서해야 한다'는 나약한 소리만 하고 무기력한 모습만 보여주니 가룟 유다의 내면에 견딜 수 없는 갈등이 생겼을 것이다. 그런 복합적인 갈등이 돈에 대한 탐욕과 결합하여 결국은 예수님을 팔아넘기게 됐다는 것이 그들의 견해이다. 상당히 일리 있는 견해라고 생각한다.

그런 관점에서 가룟 유다와 상당히 대조적인 인물이 있는데, 바로 키 작은 삭개오다. 세리였던 삭개오는 예수님을 만나 그분의 영향으로 변화되었다. 예수님을 영접하고 그가 제일 먼저 취한 조치가 무엇인가?

> 삭개오가 서서 주께 여짜오되 주여 보시옵소서 내 소유의 절반
> 을 가난한 자들에게 주겠사오며 만일 누구의 것을 속여 빼앗은
> 일이 있으면 네 갑절이나 갚겠나이다 눅 19:8

삭개오는 자신의 재산 절반을 가난한 자들에게 나누어주고, 또 자신이 다른 사람의 것을 속여 빼앗은 것이 있으면 네 배로 갚겠다고 선언했다. 그가 그렇게 한 것은 그것이 율법에서 말하고 있는 일이기도 했지만, 더 근본적으로는 예수님을 만난 뒤에 일어난 내면의 변화 때문이다. 그는 자신이 지금까지 물질을 통해 추구하고자 했던 모든 것이 또 다른 방식의 '팍스 로마나'였다는 것을 깨달았다. 자기 안에 있는 열등감과 결핍을 감추고 만회하기 위해 그렇게 열심히 돈을 끌어모으고 있었다는 사실을 삭개오는 직시하게 된 것이다. 그의 '팍스 로마나'가 예수님을 만나고 깨진 것이다.

내 안에 자리 잡은 팍스 로마나

우리 그리스도인들 역시 알게 모르게 삶 속에서 '팍스 로마나'를 취하고 추구하게 된다. 목사인 나에게 가장 위험한 것은 '교회 키워야겠다, 사람 모아야겠다, 제일 유명한 목사가 되어야지' 하는 모든 시도들이다. 부끄러운 고백이지만 내 안에도 역시 '팍스 로마나'가 자리 잡고 있다. 그래서 나는 항상 이렇게 고백하곤 한다.

"2만 명 가까이 되는 우리 교회 성도들 목회하는 것보다 나 한 사람 목회하는 것이 더 힘들다."

정말이다. 수많은 사람들 목회하는 것보다 내 안에 자리 잡고 있는 '팍스 로마나'를 잠재우는 것이 더 어려운 일이다. 그렇기 때문에 날마다 씨름하며 기도하는 것이다. 나는 "하나님, 제가 대한민국을 대표하는 목사가 되게 해주세요"와 같은 기도는 일부러라도 절대 하지 않는다. 그것이 '팍스 로마나'일 수 있다는 것을 알기 때문이다. 내가 아침마다 하는 기도는 정말 기초적이다.

"하나님, 제가 오늘 누구를 만나고 무슨 회의를 하고 누구와 상담을 하는데, 쓸데없는 말이 새어 나오지 않게 해주세요. 혹시라도 내 안에 배어 있는 권위주의 같은 것 때문에 사람들 상처 주지 않게 해주세요."

내가 이런 기도를 멈출 수 없는 것은 내 안에 '팍스 로마나'가 뿌리 깊게 자리하고 있다는 사실을 나 자신이 너무도 잘 알고 있기 때문이다. 그것이 발동되면 내가 무슨 짓을 할지는 나도 정말 모르는 일이다.

그렇기 때문에 성령님의 도우심이 늘 필요하다.

내 안에 목사로서 교회를 향한 '팍스 로마나'의 욕망이 있는 것처럼 우리 모두는 각자의 영역에서 '팍스 로마나'의 욕망이 있을 수 있다. 특히 아이 키우는 어머니들은 자녀에게 '팍스 로마나'가 발동되지 않도록 조심해야 한다. 왜 아이에게 그토록 집착하는가? 자기 안에 있는 '팍스 로마나' 때문이다. 부모들이 자녀에게 뭐라고 이야기하는가? "의사 돼서 생명을 살려라"가 아니다. "의사 돼서 돈 많이 벌어라"이다. 얼마나 슬픈 권면인가? 우리 안에 깊이 스며 있는 이 '팍스 로마나'를 향한 욕망이 우리 주님을 우시게 만든다.

주님이 우리를 바라보며 우시는 이유가 이 땅에 대형 교회가 없어서인가? 유명한 목사가 없어서인가? 주님은 겉포장은 '샬롬'이지만, 내면은 '팍스 로마나'로 꽉 차 있는 우리의 모습을 보시며 눈물짓고 계신다. 우리는 내면에 은밀히 자리 잡고 있는 '팍스 로마나'를 깨뜨려야 한다. 그것은 진정한 평화가 아니다.

성령충만할 때 샬롬이 임한다

그렇다면 우리는 '팍스 로마나'를 어떻게 깨뜨릴 수 있는가? 어떻게 하면 주님 눈에 눈물 흐르게 하는 교회가 아니라 기뻐 웃음 짓게 하는 교회가 될 수 있는가? 어떻게 하면 '팍스 로마나'가 아닌 온전한 '샬롬'을 구현하는 인생이 될 수 있는가?

그 중요한 단서를 요한복음 14장 27절에서 찾을 수 있다.

평안을 너희에게 끼치노니 곧 나의 평안을 너희에게 주노라 내
가 너희에게 주는 것은 세상이 주는 것과 같지 아니하니라 너희
는 마음에 근심하지도 말고 두려워하지도 말라 요 14:27

여기서 주님은 '세상이 주는 것 같지 않은 평안'을 주시겠다고 말씀
하신다. 이 말이 무슨 뜻인가? 주님의 평안은 세상의 평안인 '팍스 로
마나'와 다르다는 것이다. 많은 사람들은 이 말씀을 좋아하고 암송하
지만, 이 말씀은 반드시 그 앞의 말씀인 26절과 함께 봐야 한다는 것을
간과한다.

보혜사 곧 아버지께서 내 이름으로 보내실 성령 그가 너희에게
모든 것을 가르치고 내가 너희에게 말한 모든 것을 생각나게 하
리라 요 14:26

참 지식을 주시는 분은 성령님이시다. 성령님은 우리에게 모든 것
을 가르치시고 또 예수님이 말씀하신 모든 것을 생각나게 하셔서 참
지식을 얻게 하신다. 이때의 참 지식은 무엇인가? 바로 예수 그리스도
께서 주시는 평안, 세상이 주는 것 같지 않은 그 평안을 깨달아 알게
되는 것이다.

우리가 요한복음 14장 27절 말씀이 약속하는 "세상이 주는 것 같지
않은 평안"을 누리지 못하는 이유가 무엇인가? 그것은 26절을 외면하

기 때문이다. 참 평안은 내 의지로 누릴 수 있는 것이 아니다. 성령님이 주실 때, 성령님이 가르쳐주실 때 비로소 누릴 수 있다. 그래서 우리는 날마다 성령충만을 갈망해야 한다.

우리가 성령충만을 갈망해야 하는 까닭은 방언의 은사, 예언의 은사, 병 고치는 은사와 같은 성령의 은사를 받기 위해서만이 아니다. 물론 방언하면 좋다. 그러나 안 해도 괜찮다. 예언의 은사, 방언 통역의 은사 있으면 얼마나 좋겠는가? 그러나 없어도 믿음 생활 하는 데 큰 지장은 없다. 병 고치는 은사가 있으면 목회하는 데 얼마나 큰 도움이 되겠는가? 가끔씩 질병으로 안수 받으러 오는 성도들을 대할 때면 내 안에 "주님, 제가 안수할 때 이분의 병이 떠나가는 기적이 일어나게 해주세요" 하는 간절한 소원이 생긴다. 그러나 이런 절박함보다 더 절박한 것이 있다. 그것은 바로 올바른 영적 지식이다.

성령 사역을 하는 분들이 자칫 범할 수 있는 실수가 있다. 그것은 성령님을 통해 영적인 '팍스 로마나'를 취하려는 것이다. 조금만 방심하면 부지중에 "나는 다른 사람들이 못하는 이런 능력을 받았다, 이런 은사가 있다, 예언의 은사를 받았다, 병 고치는 은사를 받았다" 하면서 영적인 '팍스 로마나'를 구하게 된다는 것이다. 그러나 주님이 우리가 성령충만을 구하기를 원하시는 것은 이런 눈에 보이는 은사 때문만은 아니다. 성령님이 우리에게 참 평안에 대한 참 지식을 전해주시기 때문이다.

성령님이 가르쳐주시는 참 지식을 위해 우리는 성령충만을 갈망해야 한다. '팍스 로마나'에 길들여져 살아가고 있는 우리 인생이 성령님으로 인해 참 지식을 얻게 될 때, 우리가 추구해야 하는 평화는 '팍스 로마나'가 아니라 '샬롬'이라는 사실을 깨닫게 될 것이다. 이것이 바로 우리가 날마다 성령충만을 갈망해야 하는 가장 큰 이유이다.

성령님이 주시는 두 가지 선물

우리가 성령님의 도우심을 간절히 구할 때, 내 안에 뿌리 깊이 자리 잡고 있는 '팍스 로마나'를 몰아내주시고 참 평화로 채워주시도록 간절히 구할 때, 성령님은 우리에게 평화와 관련된 두 가지 선물을 주신다.

선물 1, 평화에 대한 참 지식

우리가 성령의 도우심을 구할 때 성령님은 평화와 관련한 참 지식을 깨닫게 해주신다. 인간이 얼마나 무지한지 아는가? 누가복음 19장에서 예수님은 백성들의 무지함 때문에 탄식하며 울고 계실 때, 백성들의 태도는 어땠는가?

> 이르되 찬송하리로다 주의 이름으로 오시는 왕이여 하늘에는
> 평화요 가장 높은 곳에는 영광이로다 하니 눅 19:38

주님은 백성들이 참 지식이 없어서 망해간다고 눈물을 흘리고 계시

는데, 정작 백성들은 잘못된 지식으로 평화를 노래하고 있다. 예수님이 이 모습을 보시고 얼마나 기가 막히셨겠는가?

그런데 이 모습이 오늘날 우리 교회가 보이고 있는 모습은 아닌가? 강단에서는 끊임없이 평화가 선포되고 있지만, 영안을 열고 보면 한국 교회의 참 지식과 평안이 없음으로 인해 주님이 눈물 흘리고 계신 상황은 아닌가? 우리는 가짜 평화에 속고 있는 것은 아닌지 우리 자신을 면밀히 돌아보아야 한다. 또한 우리를 속이는 가짜 평화를 떨쳐내기 위해 늘 성령으로 충만해야 한다. 성령께서 우리의 현실을 정확하게 직시하게 해주시도록 간구해야 한다.

요한일서 2장 20절에 이런 말씀이 있다.

> 너희는 거룩하신 자에게서 기름 부음을 받고 모든 것을 아느
> 니라 요일 2:20

권위 있는 성경 주석을 참고하고 다른 목사님들의 훌륭한 설교도 참고해가면서 이론적인 지식으로만 설교를 할 수는 있다. 하지만 살아 계신 성령님의 살아 있는 참 지식을 전하기 위해서는 목회자 자신이 성령충만의 통로가 되어야 한다. 우리는 거룩하신 자에게서 기름 부음을 받을 때 비로소 모든 것을 알게 되기 때문이다.

목회자가 진정한 성령충만의 통로인지는 목회자와 하나님 단 둘만 아는 일이다. 목회자가 엿새 동안 하나님이 기뻐하지 않는 일을 행하

고서도 열심히 주석 참고하며 설교 준비하는 것은 가능할지라도, 그의 설교는 요한일서 2장 20절이 말하는 "거룩하신 자에게 기름 부음을 받고 모든 것을 안" 참 지식은 아니다. 설령 성도들 아무도 눈치 채지 못할지라도 하나님과 목회자 자신은 알 것이다.

한국 교회의 모든 목회자뿐 아니라 각 교회의 모든 소그룹 리더들, 평신도 지도자들, 성도 한 사람 한 사람이 다 성령님의 참 지식으로 충만해야 한다. 또한 가정 내 아버지들, 어머니들이 성령의 충만함으로 참 지식을 받아야 한다. 성령충만함으로 자녀를 양육하지 않으면 부모가 하는 말은 다 잔소리에 불과하다. 아무리 옳은 이야기, 훌륭한 조언을 해도 그 좋은 말들이 성령의 손에 붙잡히지 않으면 자녀들의 귀에는 듣기 싫은 잔소리로밖에 들리지 않는다. 문제는 우리가 얼마나 참되고 바른 소리를 쏟아내느냐가 아니다. 내 지식이 성령님이라는 필터에 걸러져서 선포될 때 비로소 그것이 능력이 된다.

선물 2, 온전한 관계 회복으로 인한 참 평화

우리가 성령님을 구하면 성령님은 우리에게 온전한 관계 회복으로 인한 참 평화를 선물로 주신다.

갈라디아서 5장 22절에 나오는 성령의 세 번째 열매인 '화평'을 원어로 보면 '에이레네'라는 단어이다. 이 단어에는 '함께하다', '연관되다'와 같은 관계 지향적인 뜻이 내포되어 있다. 그리고 헬라어 '에이레네'는 히브리어의 '샬롬'과 일치하는 단어이다. '샬롬'이 어떤 인사인지는 잘 알 것이다. 유대인들이 "샬롬!"이라고 인사할 때, 그 안에는 "하나님과의 관계가 회복되고 하나님과의 관계가 회복된 자들에게 평강이 있을지어다"라는 뜻이 내포되어 있다.

그런데 성경에 나타난 '샬롬'이라는 것이 참 흥미롭다. 누가복음 1장 28절에서 처녀의 몸으로 잉태한 마리아에게 천사는 이렇게 이야기한다.

> 그에게 들어가 이르되 은혜를 받은 자여 평안할지어다 주께서
> 너와 함께하시도다 하니 눅 1:28

지금이 무슨 상황인가? 처녀가 임신했는데 평안하라니 "아멘" 할 상황인가? 들키면 돌에 맞아 죽을 불안한 상황인데 어떻게 평안하겠는가? 마리아도 난감해서 이렇게 반응한다.

> 처녀가 그 말을 듣고 놀라 이런 인사가 어찌함인가 생각하매
> 눅 1:29

마리아는 당황하여 그저 어리둥절할 뿐이었다. 그러자 천사가 이렇게 말한다.

> 천사가 이르되 마리아여 무서워하지 말라 네가 하나님께 은혜

를 입었느니라 눅 1:30

하나님의 은혜를 입으면 처녀가 임신해서 오해받을 상황에서도, 돌에 맞아 죽을 위급한 상황에서도, 벼랑 끝에 매달려 있는 듯한 절박한 상황에서도, 그 어떤 상황 가운데서도 평안이 주어진다는 것이다. 원어로 보면 "은혜를 받은 자여 평안할지어다"라는 부분에 "기뻐할지어다"라는 뜻이 담겨 있다. 은혜를 받은 자는 그 안에 진정한 평안과 함께 기쁨이 함께한다. '샬롬' 하나면 만사 형통이다. 사람들에게 오해받아서 돌에 맞아도, 요셉처럼 강간미수범으로 누명을 쓰고 감옥에 갇혀도 그 내면에 '샬롬', 곧 진정한 평화와 진정한 기쁨이 있으면 무엇이 더 필요하겠는가?

상황을 뛰어넘는 샬롬의 능력

나는 최근에 상황을 뛰어넘는 하나님의 '샬롬'이 구체적으로 무엇을 의미하는 것인지 직접 목격할 기회가 있었다. 어느 날 우리 교회에 다니는 한 자매가 나를 찾아왔다. 얼굴도 예뻤지만 그 표정이 어찌나 밝고 생글생글 잘 웃는지 인상이 정말 좋았던 자매였다. 그런데 그 환한 표정으로 풀어놓는 이야기는 그 표정과는 전혀 어울리지 않는 이야기였다. 그 자매가 생글생글 웃으며 하는 말은 이랬다.

"목사님, 제가 루프스 환자예요."

처음에는 그 병이 뭔지 잘 몰랐다. 그 자매가 돌아가고 나서 인터넷을 검색해봤더니, 루프스 병은 인체 외부로부터 몸을 보호하는 면역 체계에 이상이 와서 면역계가 자신의 몸을 공격하는 병이었다. 외부의 나쁜 균으로부터 몸을 보호해야 하는 면역체에 이상이 생겨서 도리어 자신의 몸을 공격하는 병이라는 것이다. 이 병의 가장 무서운 점은, 루프스 병이 눈을 공격하면 실명을 하게 되고, 귀를 공격하면 들을 수 없게 되고, 간을 공격하면 간을 망가뜨린다는 것이다. 그 자매도 루프스 병을 앓은 지 1년 만에 신장이 다 망가지게 되었다고 한다.

그럼에도 그 자매의 모습이 얼마나 평안해 보이던지 신기한 마음이 들어 그 자매의 사연과 간증을 정리해서 듣고 싶다고 부탁을 했다. 그러자 자매에게서 정말 긴 내용의 메일이 왔다. 그중 일부를 인용해 본다.

병원에서 겨울 내내 있었지요. 팔은 주사로 만신창이가 되고 어쩔 땐 고통으로 고열로 몰핀 종류를 맞아도 효과가 없어서 고생을 했어요. … 스테로이드 부작용으로 고관절이 망가지는 혈성 골괴사라는 병을 얻었고 앞으로 인공관절 삽입수술을 해야 해요. 또 포도망막염 때문에 시력을 잃을 뻔도 하고 대상포진은 세 번이나 걸렸었고 항생제 부작용으로 죽을 뻔도 했어요. 온몸에 대못을 박아 놓은 것 같은 심한 전신 통증인 섬유근통도 있고, 수시로 발작을 일으킬 수 있고, 길거리 가다가 쓰러질 수 있고, 편두통, 천식, 백혈구 감소증, 혈소판 감소증, 혈관염 등등

루프스 환자 중에서도 한 1퍼센트도 안 되는 집단에 포함되어 있는 재미없는 환자예요.

그 자매는 자신을 이렇게 소개했다. 그런데 그 다음 내용은 이랬다.

그런 18년 동안 저에게 일어난 가장 큰 변화는 병명만 많아진 것이 아니라 제 삶에서 일하시는 하나님을 만난 거죠. 살아 계신 하나님, 아무것도 아닌 나를 자녀 삼아 주시고 그렇게 못되게 군 저를 끝까지 기다려주시고 변화시켜주신 하나님 말이에요. 스스로 분당우리교회에 와서 등록하게 하시고 소그룹 성경 모임을 나가게 하시고 (그런 거 사실 엄청 싫어했거든요) 작년에는 찬양팀에 들어가게 하신 놀라움의 연속이었습니다. 큰 수술이나 검사가 있을 때마다 기도하게 하시고 집에 있을 때도 성경을 읽게 만드신 주님의 힘, 그리고 성경을 통해 정말 빨리 제게 답해주시는 신실하신 하나님을 경험한 거예요. 아침마다 제 입에서는 '평화 평화로다 하늘 위에서 내려오네' 라는 찬양이 흘러나와요. 친구들이 제가 하는 주님에 대한 말에 귀를 기울여주고, 정말 살 맛 난다고나 할까요? 아픈 것쯤은 정말 아무것도 아닌 게 된 거예요. 아니 제겐 은혜와 기쁨이 된 거죠. 아프지 않았으면 결코 느끼지 못할 그런 기쁨이에요. 사실 지금도 저는 약을 많이 늘렸어요. 혈관염이 너무 심해서 손가락을 건드릴 수 없을 정도거든요. 12월 30일에 응급실에 다녀왔는데 응급실에서도 엄마랑 얘기하면서 웃었어요. "오랜만에 왔다, 그치?" 하면서요.

그러면서 자신의 기도제목에 대해 이렇게 썼다.

저는 아픈 걸 낫게 해달라는 기도를 하지 않아요. 처음부터 끝까지 저의 기도는 낮아지고 낮아지게 하시고 예수님의 발뒤꿈치라도 예수님 닮아가는 사람이길 바라는 거예요. 가끔 제가 높아지려고 하는 순간이 있어요. 그때는 어김없이 저를 낮추어달라고 기도해요. 또 예수님 닮기를 진심으로 바라요. 어려운 일이지요. 말로만 해서도 안 되고요. 조금씩 노력하고 있고 하나씩 실천할 때마다 감사와 또 감사를 드릴 수밖에 없어요. 이 일들이 다 저에게 은혜고 기쁨이고 돈으로 살 수 없는 그런 감동입니다. 앞으로 제가 어떻게 될지 그건 주님만이 아시겠지만 주님을 만나는 날 '내가 너로 인해 참 좋았노라. 내가 너로 인해 참 기뻤노라'라고 해주시길 바라요. 이 메일을 쓰면서 자꾸 눈물이 납니다. 다시 한 번 생각나게 해주시고 은혜 받게 해주셔서 또한 감사드립니다.

자매가 왜 눈물이 난다고 하는가? 혈관염이 심해져서 손가락을 건드릴 수조차 없는 상황에서 그녀에게는 자판 하나 누르는 게 아픔이요, 고통이다. 그런데 그 아픔 때문에 눈물이 흐르는 것이 아니다. 기쁘고 감사해서 눈물이 난다는 것이다. 이것이 진정한 평화, '샬롬'이다.

민수기 6장에 이런 말씀이 있다.

> 여호와는 그의 얼굴을 네게 비추사 은혜 베푸시기를 원하며 여호와는 그 얼굴을 네게로 향하여 드사 평강 주시기를 원하노라 할지니라 하라 민 6:25,26

하나님과의 관계가 회복되면 평강은 절로 따라오는 선물이다. 따라서 우리가 구해야 할 것은 '팍스 로마나'의 평화나 거짓으로 호도된 평화가 아니라 진정으로 하나님과의 관계가 회복된 데서 비롯되는 참 평화이다. 하나님의 얼굴을 구할 때 선물로 내려오는 그 평안을 구해야 하는 것이다.

내 인생의 주인을 인정할 때
샬롬이 시작된다

몇 년 전에 출간된 《인생 수업》이란 제목의 책이 있다. 이 책은 호스피스 운동의 선구자로 알려진 정신의학자 엘리자베스 퀴블러 로스(Elizabeth Kubler Ross)가 자신의 제자인 데이빗 캐슬러(David Kessler)와 함께 죽음 직전에 있던 수백 명의 사람을 인터뷰하고 그 인터뷰를 토대로 저술한 교훈집이다. 제목 그대로 우리가 인생을 사는 데 있어서 꼭 알아야 할 것들이 무엇인가 하는 내용을 담고 있는 책이다. 그 책에 여러 가지 사례들이 나오는데, 그중에 이런 이야기가 있다.

한 여성이 차를 몰고 고속도로를 달리고 있었는데, 갑자기 앞의 차들이 다 서는 것이다. 그래서 그 여성도 급하게 브레이크를 밟고 차를 세웠는데, 백미러를 보니 뒤에서 차 한 대가 굉장한 속력을 내며 달려오는 것이 보였다고 한다. 그 순간 '지금쯤 브레이크를 밟지 않으면 사고가 날 텐데' 하는 생각이 들면서 본능적으로 핸들을 꽉 움켜쥐게 되었다고 한다. 그리고 그 다음 어떤 일이 일어났는지 이렇게 기록되어 있었다.

"순간 나는 운전대를 움켜쥐고 있던 내 손을 내려다보게 되었습니다. 의식적으로 꽉 잡았던 것은 아닙니다. 나도 모르게 그렇게 한 것이고 그것이 내가 그때까지 살아온 방식이었습니다. 계속 이런 식으로 살고 싶지도 않았고 이런 식으로 죽고 싶지도 않았습니다. 나는 눈을 감고 숨을 크게 들이쉬고는 양손을 옆으로 내려놓았습니다. 운전대를 놓아버린 것입니다. 삶에, 그리고 죽음에 순순히 나 자신을 맡겼습니다. 뒤이어 엄청난 충격이 느껴졌습니다."

어떤 상황이 벌어졌을지 충분히 짐작 가지 않는가? 바로 몇 초 사이에 뒤차가 전속력으로 달려와 그녀의 차를 들이받았고, 차에 있던 여성은 그 자리에서 기절했다. 그녀가 한참 만에 깨어나 보니 자기 차는 종잇장처럼 구겨져 있었고 자기 앞의 차와 뒤의 차까지 모두 크게 망가져 있었다. 그런데 정말 놀라운 것은, 그런 상황에서 그 여성은 하나도 안 다치고 멀쩡했다는 것이다. 그래서 그녀는 가슴을 쓸어내리고 있었는데, 사고를 조사하던 경찰관이 몸에 긴장을 푼 것이 다치지 않을 수 있었던 이유 중 하나라고 말해주었다. 핸들을 꽉 움켜쥔 채 근육이 긴장한 상태로 있으면 오히려 심한 부상을 입을 확률이 더 크기 때문이다.

그 여성은 그 사건을 통해 자기 인생을 돌아보게 되었다. 그동안 그녀는 늘 그렇게 주먹을 꽉 움켜쥔 채로 살아왔다는 것을 깨닫게 되었다. 그러나 그 사건을 통해 긴장을 내려놓고도 살 수 있다는 사실을 깨닫게 되었고, 그 후로 자신의 삶이 달라졌다고 한다.

샬롬의 시작, 움켜쥔 손을 푸는 것

그 책을 읽으면서 어쩌면 우리가 이 세상을 살아가다가 위기와 어려움을 만날 때 꽉 움켜쥔 손을 풀 수 있는 것, 바로 여기서부터 '샬롬'의 시작이 아닐까 하는 생각이 들었다. 그런데 위기 가운데 움켜쥔 손을 내려놓는다는 것이 말처럼 쉽지 않다. 그것이 어떻게 가능할까? 창세기에서 요셉은 이런 고백을 했다.

> 당신들이 나를 이곳에 팔았다고 해서 근심하지 마소서 한탄하
> 지 마소서 하나님이 생명을 구원하시려고 나를 당신들보다 먼
> 저 보내셨나이다 창 45:5

지금 요셉은 어떤 상황인가? 요셉의 배다른 형들이 요셉을 시기하고 질투하여 그를 이방 나라의 종으로 팔아버렸다. 그런데 오랜 시간이 흐른 뒤에 까맣게 잊고 있던 동생 요셉이 어마어마한 권력자가 되어 형들 앞에 나타난 것이다. 당연히 형들은 '이제 우리는 죽었다'라

고 생각하면서 부들부들 떨고 있을 수밖에 없는 상황이었다. 그 상황에서 요셉이 한 말이다. 그 내용을 《메시지성경》은 이렇게 의역한다.

"저를 팔아넘겼다고 괴로워하지도 말고 자책하지도 마십시오. 그일 뒤에는 하나님이 계셨습니다. 하나님께서 나를 형님들보다 앞서 이곳으로 보내서서, 여러분의 목숨을 구하게 하셨습니다."

만약 우리가 이 불안한 세상을 살면서 위기를 만나거나 상처를 입을 때, 가장 가까운 사람으로부터 배신을 당할 때 이런 고백을 할 수 있다면 얼마나 좋겠는가?

"그 일 뒤에는 하나님이 계셨습니다."

이것이 바로 요셉을 살려낸 한 마디였을 것이다. 만약 요셉에게 이런 믿음이 없었다면 그는 어릴 때부터 분노와 증오와 복수심에 불타서 경직된 인생을 살았을 것이다. 경직된 인생을 사는 사람은 결코 요셉과 같은 성공의 자리에 올라갈 수 없다.

요셉이야말로 절체절명의 위기 속에서 자기 인생의 운전대를 꽉 붙잡은 손을 내려놓고 그것을 온전히 하나님께 맡겼던 자였다. 또 그가 그렇게 할 수 있었던 것은 그의 고백처럼 그 일 뒤에 하나님이 계셨기 때문이다.

신앙생활이 바로 이런 것이다. 너무나 절망적인 상황에 빠졌을 때, 눈앞에 캄캄한 일이 닥쳤을 때, 나는 이제 죽었구나 하는 생각이 들 정도로 인생의 위기에 처했을 때, 바로 뒤에서 브레이크를 밟지 않은 차가 전속력으로 달려드는 그때, 바로 그 순간에 움켜쥐었던 자동차의 운전대를 내려놓을 수 있는 여유, 그리고 그 여유 속에 숨 쉬고 있는 "그 일 뒤에는 하나님이 계셨습니다"라는 신앙고백, 이것이 바로 '샬롬'인 것이다.

그 여인이 경험했고 또 요셉이 누렸던 '샬롬'이 오늘 불안한 세상을 살아가는 우리 입술을 통해서도 자주 고백되기를 바란다. 오랜 세월이 지나 우리 인생을 돌아볼 나이가 되었을 때, 우리가 이렇게 고백할 수 있다면 얼마나 좋겠는가?

"그 일 뒤에는 하나님이 계셨습니다."

온전한 샬롬은 사명으로 이어진다

하나님을 향한 온전한 신뢰가 있을 때, 도무지 이해할 수 없는 상황에서도 그 뒤에 계신 하나님을 온전히 의지함으로 움켜쥔 인생의 손을 내려놓을 수 있을 때, 우리의 내면은 '온전한 샬롬'으로 회복된다. 이것이 하나님과의 관계가 회복된 자들에게 주시는 하나님의 선물이다. 그러나 하나님이 원하시는 '샬롬'은 여기서 끝나지 않는다. 온전한 '샬롬'은 개인의 '내면의 샬롬'으로 끝나는 것이 아니라 '사명'으로 연결된다. 고린도후서 5장에 그 내용이 기록되어 있다.

그런즉 누구든지 그리스도 안에 있으면 새로운 피조물이라 이전 것은 지나갔으니 보라 새 것이 되었도다 모든 것이 하나님께로서 났으며 그가 그리스도로 말미암아 우리를 자기와 화목하

게 하시고 또 우리에게 화목하게 하는 직분을 주셨으니

고후 5:17,18

하나님께서는 그리스도로 말미암아 우리를 하나님과 화목하게 하시는 데서 끝내지 않으셨다. "또 우리에게 화목하게 하는 직분을 주셨으니"라고 분명히 말씀하신다.

여기 나오는 '직분'은 원어로 '디아코니아'이다. '자발적인 종'을 뜻하는 헬라어 '디아코노스'와 어원이 같다. '디아코니아'는 우리말로 '섬김'이라는 뜻인데, 자발적인 종 '디아코노스'가 하는 일이 바로 '디아코니아'라는 것이다. 여기서 무슨 교훈을 얻을 수 있는가? 예수님을 구세주로 영접한 우리는 자발적인 종이 되어서 세상을 섬겨야 한다. 그중에 가장 중요한 일이 바로 '샬롬'을 전파하는 일, 세상을 화목하게 하는 일을 감당하는 것이다. 우리가 여기까지 나아가야 '샬롬'을 온전히 구현하는 것이 된다.

그렇기 때문에 우리는 이 두 가지 사실을 반드시 기억해야 한다. 첫째는 예수님을 영접한 우리 내면의 '샬롬'이 먼저 회복되어야 한다는 것이다. 내가 두렵고 불안한데, 아무리 목회를 잘한들 무슨 소용이 있겠는가? 그것은 바람직한 종의 모습이 아니다. 또한 두 번째로 '내면의 샬롬'에서 그치는 것이 아니라 '샬롬'이 구현된 자들에게 주어진 직분, 곧 세상에 화목을 심어야 하는 직분이 있음을 기억해야 한다.

화평하게 하는 자로서 직분을 감당하라

바로 이 부분에서 불교의 인간관과 기독교의 인간관의 차이가 드러난다. 대학교에서 비교종교학을 가르치는 최정만 교수가 쓴 책 《비교종교학》을 보면, 불교에서 말하는 인간관을 세 가지로 정리하고 있다. 첫째, 화쟁(和諍)과 오수(悟修)로 설명하는 조화적 인간관, 둘째, 인간은 불성(佛性)을 지닌 존재로서 존귀하고 평등하다는 평등의 인간관, 셋째, 수행을 통하여 자기의 참 모습을 깨닫고 해탈, 열반에 도달할 수 있다는 불성의 인간관이다. 그러면서 최정만 교수는 불교를 이렇게 정리했다.

"여기서 주목하여 볼 것은 불교에서는 개인 성찰과 수행의 모습은 보이지만 이것을 표출하고 표현하는 것은 없다는 점입니다. 다시 말해 집착을 버려 자유로운 상태가 되는 것이 불교에서 추구하는 해탈의 경지인 것입니다. 철저히 안으로 안으로 들어가는 자기 수양적인 종교가 불교입니다."

이 설명을 듣고 보니 사찰들이 왜 깊은 산으로 들어가야 했는지 알 수 있을 것 같았다. 철저히 안으로 안으로 들어가는 자기 수양을 위해서 아니었겠는가? 이에 반해 기독교의 인간관은 이런 개인적인 성찰과 수행을 넘어서서 사명을 가진 존재로 승화한다는 점에서 불교의 인간관과 차이를 보인다. 그렇기 때문에 교회는 도심으로, 사람이 모인 곳으로, 복잡한 곳으로 나아가야 하는 것이다.

마태복음에서 예수님은 이렇게 말씀하셨다.

화평하게 하는 자는 복이 있나니 그들이 하나님의 아들이라 일
컬음을 받을 것임이요 마 5:9

예수 믿는 사람들이 "저 사람은 하나님의 아들이야"라는 평가를 받기 위해서는 어떻게 해야 한다는 것인가? 화평하게 하는 일을 해야 한다는 것이다.

여기서 '화평하게 하는 자'를 원어로 살펴보면 '에이레네 포이에오'라는 단어이다. '에이레네'는 히브리어의 '샬롬', 곧 '평화'라는 뜻이고 '포이에오'는 '실천하라'는 뜻이다. 따라서 우리가 '온전한 하나님의 아들'이라는 평가를 받기 위해서는 화평을 묵상하고 그것을 분석하고 관념적으로 즐기는 것에 그치는 것이 아니라 내 삶 속에서 그 화평을 실천하고 평화를 이루기 위해 몸부림치고 애써야 한다.

이런 측면에서 오늘날 예수 믿는 우리는 반성하고 회개해야 한다. 물론 나부터 말이다. 오늘날 우리 기독교인들은 자신을 성찰하고 수양하는 면에서도 많이 부족할 뿐 아니라 산이 아닌 도심으로 가라고 명하신 하나님의 사명도 잊은 채 살지는 않은가?

교회가 세상 한가운데 자리 잡은 것은 안 그래도 혼란하고 복잡한 세상에 교회까지 한 자리 차지하고서 이전투구(泥田鬪狗) 하라는 것이 아니다. 교회가 세상 속에서 화평을 이루는 자로, 피스메이커 (peacemaker)로 사명을 감당하게 하기 위해 세상 속에 있는 것이다. 우리는 지금 이 사명을 제대로 감당하고 있는가? 우리 모두 하나님 앞에

서 자신의 모습을 정직하게 돌아봐야 할 것이다.

모든 사람과 더불어 화평하라

이 같은 맥락에서 성경은 매우 중요한 행동 수칙을 명확하게 밝히고 있다. 로마서 12장 18절의 말씀이다.

할 수 있거든 너희로서는 모든 사람과 더불어 화목하라 롬 12:18

존 스토트(John Stott) 목사는 '할 수 있거든'이라는 단서 자체가 모든 사람과 화목하는 것이 그만큼 어렵다는 것을 전제로 한다고 설명했다. 생각과 가치관이 다르다고 금방 선을 긋고 등을 지는 것이 인간의 본능이기 때문이다. 그러나 그 어려운 일을 반드시 구현해내야 하는 것이 우리 그리스도인이다. 왜냐하면 우리가 화목을 이루는 직분을 부여받았기 때문이다.그래서 히브리서 12장 14절의 말씀을 준엄한 경고로 받아야 한다.

모든 사람과 더불어 화평함과 거룩함을 따르라 이것이 없이는
아무도 주를 보지 못하리라 히 12:14

정말 무서운 말씀 아닌가? '내가 옳다, 네가 옳다'는 식의 편가르기를 해서는 하나님을 볼 수 없다는 것이다. 우리는 내적으로는 불교에

서 추구하는 자기 수양적인 태도 이상의 깊은 영성을 추구해야 한다. 그러나 거기서 더 나아가 나와 기질이 같든 다르든 상관없이 모든 사람과 더불어 화목을 이뤄야 한다. 이것이 하나님이 원하시는 '샬롬'이다.

그렇기 때문에 우리는 더더욱 공동체 모임에 참석해야 한다. 소그룹 모임에도 적극적으로 나가야 한다. 성격이 맞지 않아 불편한 사람이 있더라도 공동체 모임을 통해 화평하는 연습을 해야 한다. 공동체 모임을 외면하는 신앙생활은 반쪽짜리 신앙생활이다. 만약 소그룹 모임에 나와 잘 맞는 사람들만 있다면 빨리 담당 목회자에게 말해서 그룹을 옮겨달라고 청하라. 훈련에 별로 도움이 안 되는 그룹이다. 반대로 소그룹 모임에 나갔는데 리더는 괴팍하기 짝이 없고 구성원들도 다들 뭔가 이상하고 나랑 안 맞고 정이 안 간다면 정말 좋은 소그룹으로 배정된 것이다. 그곳이 바로 우리의 지침, 곧 "할 수 있거든 모든 사람과 더불어 화목하라"를 이루는 연습 장소가 될 것이기 때문이다.

결혼을 했더니 "할 수만 있거든 모든 사람과 화목하는 것이 이렇게 어렵구나"라는 사실을 뼈저리게 느끼게 만드는 시댁 어른을 만나고 며느리를 만나고 배우자를 만난 분들을 축복한다. 아주 제대로 만난 것이다. 죽을 때까지 이 악물며 이 사람과 화평하게 해달라고 몸부림치다 보면 그 사람의 영이 얼마나 성숙해지겠는가? 그리스도인의 사명이 모든 사람과 더불어 화목하는 것임을 늘 명심해야 한다.

공의와 화평이 입 맞추게 하라

이제 성령의 열매인 화평, 곧 '샬롬'과 관련하여 우리가 반드시 기억해야 할 두 가지 균형적인 실천사항에 대해 나누고 싶다.

첫째, 공의가 빠진 화평은 가짜이다. 시편 85편 10절에 보면 무척 흥미로운 표현이 나온다.

> 인애와 진리가 같이 만나고 의와 화평이 서로 입 맞추었으며
>
> 시 85:10

의(義)와 화평이 서로 입 맞추는 상태는 어떤 상태인가? 세계적인 기독교 철학자 니콜라스 월터스토프(Nicholas Wolterstorff) 교수는 바로 이 말씀에서 착안한 제목인 《정의와 평화가 입 맞출 때까지》라는 책을 썼다. 그 책에서 저자는 시편 85편에 나오는 '의', 곧 '정의'를 관계적인 측면에서 풀어서 설명한다. 그 책의 핵심은 이것이다.

'샬롬'이라는 것은 우리가 경험하는 전방위적인 관계 속에서 평화를 누리는 상태로, 하나님과의 관계 회복에서 오는 '샬롬'뿐 아니라 먼저 나 자신과의 관계에서 '샬롬'이 일어나고 그 다음 주변 동료들과의 관계에서 '샬롬'이 회복되어 결국에는 자연과의 상태에서도 '샬롬'이 구현되어야 한다는 것이 저자의 주장이다. 이런 차원에서 시편 85편에서 말하는 '의와 화평이 서로 입 맞추었다'는 것은 단순히 자기만족적인 내적인 상태에서의 '샬롬'이 아니라 연약한 이웃을 돌보고 또 그

들과 함께하는 자리에까지 나아가는 차원에서의 '샬롬'이다. 이 '샬롬'이 우리에게 필요하다

그 책을 보면서 영화 〈밀양〉에 나오는 유괴살인범이 생각났다. 잔인한 유괴살인범으로 인해 목숨처럼 사랑하는 아들을 잃은 피해 여성은 절망의 구덩이를 뒹굴고 있는데, 정작 살인범은 "하나님을 만났다, 하나님이 나를 용서해주셨다, 내가 평안하다"라고 하고 있다. 그것은 옳은 '샬롬'이 아니다. 진정으로 하나님과의 바른 '샬롬'이 회복되었다면 그 '샬롬'은 자기 때문에 피눈물 흘리고 있는 그 사람에게 무릎 꿇고 용서를 구하며 그 사람과의 '샬롬'을 회복하는 단계로 나아가야 하는 것이다. 예레미야서 6장 15절을 보면 공의가 빠진 '샬롬'을 구하는 자들에 대한 경고의 메시지가 기록되어 있다.

그들이 가증한 일을 행할 때에 부끄러워하였느냐 아니라 조금
도 부끄러워하지 않을 뿐 아니라 얼굴도 붉어지지 않았느니라
그러므로 그들이 엎드러지는 자와 함께 엎드러질 것이라 내가
그들을 벌하리니 그 때에 그들이 거꾸러지리라 여호와의 말씀
이니라 렘 6:15

여기서 '그들'은 어떤 사람들인가? 영화 〈밀양〉에 나오는 유괴살인범 같은 자들이다. 이런 자들을 향해 하나님이 뭐라고 말씀하시는가? 하나님께서는 그들을 향해 "그들이 엎드러지는 자와 함께 엎드러질

것이라. 내가 그들을 벌할 것이다"라고 준엄하게 말씀하신다. "여호와의 말씀이니라"라는 인준도장까지 확실하게 찍으셨다. 한번 생각해보라. '샬롬'은 기본적으로 하나님과의 관계 회복에서 오는 덕목이다. 그런데 하나님께서 지금 이런 자들에 대하여 화해를 원하기는커녕 벌 주기를 작정하고 계신데, 그들이 어떻게 진정한 '샬롬'을 누릴 수 있겠는가?

우리는 어떤가? 물론 우리가 유괴나 살인 같은 극단적인 죄를 짓지는 않았겠지만, 사실 우리의 이기적인 태도 내면의 뿌리는 같은 데 있지 않은가?

"나만 편하면 되지, 나만 평안하면 돼. 내가 뭐 하러 남까지 신경 써야 해?"

이것은 옳은 '샬롬'이 아니다. 나의 '샬롬'은 내적인 '샬롬'을 넘어 나로 인해 눈물 흘리는 어떤 한 사람에게 무릎 꿇는 자리에까지 가게 하는 능력이 될 때, 그것이 진정한 '샬롬'이다. 그렇기 때문에 우리가 진정한 '샬롬', 진정한 평안을 회복하기 원한다면 나 때문에 눈물 흘리는 사람은 없는지 늘 돌아보아야 한다. 나의 행복을 위해 다른 사람의 행복을 빼앗는 것, 이런 태도는 가짜 '샬롬'이다. 무릎 꿇어야 한다.

이사야서 48장에서 하나님은 단호하게 말씀하신다.

여호와께서 말씀하시되 악인에게는 평강이 없다 하셨느니라 사 48:22

악인에게는 '샬롬'은 없다. 악인이 누리는 '샬롬'은 위장된 가짜 '샬롬'이다. 성령님이 우리 모두에게 역사하셔서 참 평안에 대해 깨닫게 하시는 은혜를 주실 뿐 아니라, 용기를 부어주셔서 우리 때문에 아파하며 크고 작은 일로 신음하는 이들에게 다가가 용서의 손을 내미는 담력이 생기기를 바란다.

화평을 죽이는 공의는 흉기일 뿐이다

둘째, 화평을 죽이는 공의 역시 옳지 않다. 앞에서 말한 것처럼 공의가 없는 화평도 가짜지만 공의가 지나쳐서 그 공의가 화평을 죽여서는 안 된다는 것이다.

누가복음에 이런 말씀이 있다.

> 비판하지 말라 그리하면 너희가 비판을 받지 않을 것이요 정죄하지 말라 그리하면 너희가 정죄를 받지 않을 것이요 용서하라 그리하면 너희가 용서를 받을 것이요 눅 6:37

'샬롬'을 구현하는 차원에서 이 말씀을 적용하여 읽어보면, 우리가 진정한 '샬롬'을 얻기 위해서는 용서해야 한다는 것을 말하는 것이다. 이런 점에서 우를 범했던 사람들이 바로 예수님 당시의 바리새인과 서기관들이다. 사실 우리가 바리새인과 서기관들의 모습 가운데 인정해야 할 부분이 있다. 그들은 의(義)를 위해 노력했던 자들이다. 공의를 세우기 위해 누구보다 몸부림쳤던 자들이다. 그런데 주님은 이런 자들에게 뭐라고 지적하시는가? 그들이 의를 세우려다 관계를 죽였다고 지적하신다. 의를 세우려다 연약한 자들을 비판하고 정죄하는 그들을 주님은 결코 죄 없다 하지 않으시고 정죄하셨다.

오늘날 우리 주변을 둘러보면 이 시대의 바리새인들과 서기관들이 넘쳐난다. 젊은 사람들이 많이 사용하는 소셜네트워크(SNS) 사이트에 들어가 보면 너무나 많은 적개심과 분노와 울분과 정죄로 가득 차 있다. 나는 이런 글들을 보기 싫어도 참고 본다. 세상을 더 알기 위해서다. 그러나 그런 글들을 읽고 나면 내 마음도 어두워지고 우울해진다. 각자의 논리를 가지고 상대방에 대한 비판을 쏟아내는 글들을 보면 다 의롭다. 허튼 글을 쓰지 않는다. 그러나 그들이 놓치고 있는 것이 무엇인가? 공의는 반드시 필요한 것이지만, 그 공의가 사람을 미워하고 죽이는, 관계를 깨뜨리는 흉기로 쓰여서는 안 된다는 것을 간과하고 있는 것이다.

얼마 전 참 공감 가는 칼럼 하나를 보았다.

"물결이 심하게 출렁이면 바닥의 모습이 일그러져 보인다. 그러나 잔잔한 호수에서는 깊은 바닥의 모습이 다르게 보이는 법이다. 좀 더 침착해지고 좀 더 고요해지고 좀 더 맑아지게 하는 것이 우리 책임이다. 그래서 우리가 진정으로 화평할 때 모두가 행복해진다는 것을 세상이 깨닫도록 해야 한다."

마음에 와 닿는 이야기이다. 처음에 내가 정의, 공의, 진리를 부르짖을 때는 그것이 옳은 이야기였다. 그러나 그 공의를 세우는 과정에서 마음에 평강을 잃어버리고 내면의 물결이 심하게 요동치자 어떻게 되는가? 바닥의 모습이 일그러져 보이는 것이다. 안타깝게도 이것이 갈등을 조장하고 선동하는 우리 사회의 현재 모습이다. 이런 현실 속에서 아픈 가슴을 부여잡고 늘 기도하는 것이 있다.

"하나님, 이 나라의 불의한 모습 때문에 심성이 왜곡되고 세상을 삐딱하게 보고 세상에 존경할 만한 어른은 하나도 없다고 치부해버리는 것은 우리에게 더 큰 비극을 가져옵니다. 그러니 하나님, 우리에게 정의와 공의를 세우는 일이 꼭 필요한 것이지만 그 공의가 지나쳐서 화평을 죽이는 일은 피할 수 있도록 하나님께서 도와주옵소서."

마가복음에서 예수님은 이렇게 말씀하셨다.

소금은 좋은 것이로되 만일 소금이 그 맛을 잃으면 무엇으로 이를 짜게 하리요 너희 속에 소금을 두고 서로 화목하라 하시니라

막 9:50

미가서 4장 3절은 이렇게 전한다.

그가 많은 민족들 사이의 일을 심판하시며 먼 곳 강한 이방 사람을 판결하시리니 무리가 그 칼을 쳐서 보습을 만들고 창을 쳐서 낫을 만들 것이며 이 나라와 저 나라가 다시는 칼을 들고 서

로 치지 아니하며 다시는 전쟁을 연습하지 아니하고 미 4:3

'공의'라는 이름으로 전쟁을 연습하는 것과 같은 상황이 이 땅에서 사라질 수 있기를 간절히 기도한다. 우리 모두 공의도 붙잡아야겠지만 그 때문에 전쟁을 연습하는 데 휘말리는 일이 없기를 주님의 이름으로 간절히 바란다.

용서하는 일부터 화목하게 하는 직분을 감당하기까지

이 두 가지 균형, 곧 한편으로는 의로운 샬롬을 구현할 뿐 아니라 공의가 지나쳐서 샬롬을 깨뜨리는 일이 없도록 하기 위해서는 우리 실생활의 가장 작은 것부터 실천해야 한다.

가장 먼저 우리는 용서를 구해야 할 사람을 찾아가 용서를 구하는 일부터 시작해야 한다. 크고 작은 일로 내 가족에게, 시댁과 친정의 어른들에게, 며느리에게, 회사 동료들에게 상처를 주고 무례를 행했다면 찾아가 용서를 구해야 한다. 뿐만 아니라 내가 용서를 베풀어야 할 사람을 찾아가 마음으로 용서해야 한다. 상대방의 '샬롬'을 위해서가 아니다. 바로 나의 '샬롬'을 위해서이다.

그런가 하면 우리는 좀 더 적극적인 측면에서 화목하게 하는 직분과 사명을 성실하게 감당해야 한다. 예를 들어, 같은 교회 성도 가운데 어려움을 당한 분들이 있다면 찾아가 위로의 손길을 내미는 것이 우리의 사명이다. 나만 평안하면 된다는 이기심은 그리스도인의 사명을 외면하는 태도이다. 하나님은 우리를 향해 "모든 사람과 더불어 화목하라"고 명령하고 계신다.

섬기는 것, 이웃의 아픔을 위로해주는 것은 그들을 섬기는 것이기는 하지만 더 근본적으로는 그들을 위해서가 아니라 나의 '샬롬'을 위한 일이다. 우리가 진정으로 이런 피스메이커의 역할을 감당할 때 하나님께서 우리 내면에 진정한 '샬롬'을 선물로 주실 것이기 때문이다.

앞에서 언급했던 《정의와 평화가 입 맞출 때까지》라는 책에 어느 라틴 아메리카 사람이 드렸다는 기도문이 나온다.

"오, 하나님 굶주린 자들에게는 빵을 주시고, 빵을 가진 우리에게는 정의에 대한 굶주림을 주소서."

이 기도문이 우리 모두의 기도가 되기를 간절히 원한다. 성령께서 굶주린 이웃을 돌아보는 공의에 대한 갈급함을 우리 모두에게 부어주시기를 바란다. 그리하여 우리의 생각과 사고를 뛰어넘는 '샬롬'으로 임해주시기를, 그 '샬롬'을 이웃에게 전하는 사명을 온전히 감당할 수 있게 되기를, 그런 '샬롬'의 은혜가 우리 모두에게 임하기를 진심으로 간절히 바란다.

하나님이 우리에게 주신 자녀, 우리에게 허락하신 가정, 우리 삶 속에 허락하신 크고 작은 모든 영역에서 우리는 하나님의 영광을 드리네는 삶을 살아야 한다. 그러나 그 영광의 삶을 위해서는 그 이면에 얼마나 많은 오래 참음이 있어야 하는지를 영혼 깊이 자각해야 한다. 그래서 혹시 인생의 혹독한 밤이 찾아올 때 현실에 절망하여 포기하고 옛 모습으로 되돌아가는 것이 아니라 소망을 가지고 분투함으로 인내를 이루어갈 수 있어야 한다.

삶으로 증명되는
진짜 영향력

인생의 어두운 밤을 지날 때
인내를 심으라

인터넷을 검색하다 이런 제목의 기사가 눈에 띄었다.

"초중고생, 체격은 커졌지만 체력은 떨어져."

내용은 이랬다. 2005년을 기준으로 봤을 때 지난 10년 동안 우리나라 청소년들의 키가 남학생이 평균 2.74센티미터, 여학생이 평균 1.96센티미터가 커졌다고 한다. 키뿐만 아니라 몸무게도 많이 늘어 남학생이 평균 4.35킬로그램, 여학생이 평균 1.99킬로그램 늘었다고 한다.

이런 통계자료가 아니더라도 주변에서 마주치는 아이들을 보면 내가 자랄 때보다 확실히 많이 커진 것 같다. 내 키가 173센티미터인데 내가 자랄 때는 이 키가 굉장히 큰 키는 아니었지만 그래도 꽤 큰 편에는 속했다. 키 순서대로 줄을 세우면 항상 뒤에서 두세 번째쯤 했으니 말이다. 그런데 요즘에는 아이들이 워낙 키가 크다 보니 내 키가 꽤 큰 편이었다고 말하면 다들 비웃을 정도가 돼버렸다.

체격이 아니라 체력이 문제

그런데 요즘 아이들은 덩치도 커지고 키도 많이 커져서 보기는 훨씬 좋아졌는데, 문제는 체질이다. 체질이 예전보다 더 나빠지고 있다. 초중고생의 40퍼센트 이상이 시력이 약한 것으로 나타났고, 근시학생 비율도 10년 전보다 약 1.8배 증가했다. 그 외에도 피부질환, 알레르기, 고도비만을 겪는 아이들이 갈수록 늘어나고 있고, 뿐만 아니라 체력도 많이 약해지고 있다고 한다.

그 기사를 보면서 우리의 신앙생활도 이렇지 않나 하는 생각이 들었다. 요즘 아이들이 체격이 커졌다고 체질이 좋아진 것이 아닌 것처럼 오늘날 교회의 교인 수가 많아지고 규모가 크다고 해서 이것이 영적으로 성숙해지고 건강해졌다는 뜻은 아니라는 것을 자각해야 한다. 요즘 많은 교회가 겉으로 보기에는 예전보다 규모도 커지고 화려해서 성숙하고 내실 있어 보이지만, 옛날 어른들의 믿음에 비추어 봤을 때 우리의 영적 체질이 좋아진 것 같지는 않다.

왜 이렇게 되었나? 교회가 외형적인 덩치는 커졌는데 신앙은 왜 오히려 허약해져버렸는가? 정답은 간단하다. 연단을 통한 훈련이 부족하기 때문이다. 앞에서 언급한 기사에서 체력저하의 원인으로 교육부는 이렇게 분석했다.

"체력저하의 주원인은 운동부족이나 비만으로 인한 심폐지구력, 각근력의 순발력, 상지근지구력 등이 감소한 때문이다."

한마디로 말해서 먹기는 잘 먹어서 영양 상태는 좋아졌지만 공부하느라 책상에만 앉아 있고, 인터넷이나 텔레비전 보느라고 운동을 하지 않아서 체력이 저하되었다는 것이다. 이것이 우리의 영적인 상황을 반영하는 결과라는 생각이 다시 한 번 들었다.

뜨거운 거리를 뛰는 아이들

안식년으로 미국 LA에 가 있는 동안 특이한 장면을 여러 번 봤다. 중고등학교 학생들이 수시로 떼를 지어 길거리를 뛰어다니는 것이다. 처음에는 그 이유를 몰랐는데 알고 보니 그것이 수업의 일환이라는 것이다. 그곳 학교에서는 청소년들을 교실에만 가두어두거나 운동장만 돌게 하는 것이 아니라 수시로 길거리를 뛰게 한다는 것이다. 뜨거운 사막 열기에 LA가 얼마나 뜨거운가? 그 뜨거운 거리를 아이들이 땀을 뻘뻘 흘려가며 정신없이 뛰는데 처음에는 안쓰럽기도 하고 신기하기도 하다가 나중에는 '아, 이것이 한국의 청소년들과의 결정적인 차이구나'라는 생각이 들었다.

그러면서 미국에서 대학 생활을 할 때의 기억이 떠올랐다. 다른 것은 둘째 치고 체력에서 미국 학생들과 게임이 안 되었기 때문이다. 시험기간이 되면 나 같은 한국 학생들은 하루 밤 새고 나면 두통이 오고 더 이상 버티기 힘든데, 그곳 학생들은 3,4일을 밤을 새고도 끄떡없는 게 아닌가? 그 비결이 나중에 알고 보니, 중고등학교에서부터 아이들의 체력을 강하게 만들어주기 때문이었다.

그런 면에서 보면, 우리나라 교육은 지금 완전히 거꾸로 가는 것 같다. 아직 병아리 같은 아이들을 24시간 닦달해서 책상 앞에만 앉아 있게 하는 것이 결코 바른 방향의 교육은 아닐 것이다. 우리 집만 봐도 내가 체력이 제일 좋다. 펄펄 날아다녀야 할 아이들 입에서 조금만 걸어도 "피곤하다, 어지럽다"란 말이 나온다. 왜 이렇게 됐는가? 운동을 하지 않아서 그렇다. 당장은 아이들이 덥고 힘들어도 아이들을 길거리로 내몰고 뛰게 하는 것이 진짜 아이들을 위한 것 아니겠는가? 바로 이 모습이 하나님께서 영적으로 우리를 대하시는 모습이 아닐까 하는 생각이 들었다.

신앙생활에 오래 참음이 필요하다

그러다 불쑥 떠오른 것이 바로 성령의 아홉 가지 열매 중 네 번째 열매인 '오래 참음'이다. 성령의 열매 가운데 '오래 참음'이 있다는 것은 무엇을 의미하겠는가? 신앙생활이라는 것이 '오래 참음', 즉 인내라는 덕목을 반드시 필요로 할 만큼 힘들다는 것을 전제로 한다는 것 아니겠는가?

그러고 보면 우리는 지금 신앙생활을 엉터리로 하고 있는 것 같다. 나약하기 그지없다. 사실 지금처럼 신앙생활 할 것 같으면 '오래 참음'은 없어도 된다. 써 먹을 일이 없기 때문이다. 우리의 신앙생활이라는 것이 "하나님이 다 해주세요" 하는 모습 아닌가? 기도를 안 하는 것도 문제지만, 기도하는 내용을 들어보면 그것도 참 문제가 많다. 자신의 기도하는 내용을 한번 녹음해서 들어보라. 99퍼센트가 다 "하나님, 주시옵소서!"이다.

사기 요구 사항 다 쏟아놓고 그분 이야기는 들을 겨를도 없이 서둘러 "예수님 이름으로 기도합니다" 하고 기도를 끝내버린다. 내 생각에는 하나님이 안 주신다고 할까봐 얼른 기도를 끝내는 것 같다. 그러나 기도는 "주시옵소서"만으로 하는 것이 아니다. "제가 하겠습니다. 제가 드리겠습니다. 제가 연단하겠습니다"도 함께 있어야 하는 것이다.

그 뜨거운 여름, 건조하고 뙤약볕이 내리쬐는 길거리로 아이들을 내모는 것이 아이들을 학대하기 위함이 아니라 아이들의 체력과 건강을 위한 교육 의도가 있어서인 것처럼, 성령께서 그분의 열매 중의 하나로 '오래 참음'을 주신 것은 우리가 훈련과 연단 속에서 '오래 참음'을 연마함으로 영적으로 더 강해지고 성숙해지게 하기 위함이다. 마치 성령님이 우리에게 "연단 받아야 해! 강해져야 돼! 훈련해야 해! 약해지지 마!"라고 외치시는 것 같다.

나부터 신앙생활 전반에 있어서 영적인 체질이 많이 약해져 있다는 사실을 시인하지 않을 수 없다. 우리 안에 성령의 열매 중의 하나가 '오래 참음'이라는 사실을 새롭게 자각할 뿐 아니라 이 성령의 열매를 사용하는 일이 일어나야 한다. 그래야 힘들고 어렵고 견디기 힘든 연단이 있을 때에 비로소 "아, 맞다! 성령의 열매 중에 '오래 참음'이 있었지!" 하고 자각하며 '오래 참음'의 능력을 꺼내 들 수 있다. 연단이 찾아올 때 쉽게 포기하지 말고 이 열매를 한번 사용해보자.

카이로스와 크로노스

'오래 참음'과 관련하여 시간의 두 가지 개념인 '크로노스'와 '카이로스'를 살펴보고자 한다. 헬라어로 '시간' 혹은 '때'를 표현하는 단어가 두 개 있는데, 그것이 '크로노스'와 '카이로스'이다. '크로노스'는 한마디로 단순히 흘러가는 시간을 가리킨다. 이 단어에서 '연대기, 연표'를 뜻하는 영어 단어 '크로놀로지'(chronology)가 파생됐다. 연대기, 연표가 무엇인가? 그냥 사건 순서대로 나열한 것이다.

헬라어의 시간을 뜻하는 다른 단어로 '카이로스'가 있는데, 이 단어는 그리스신화에 나오는 '기회의 신'의 이름에서 기원됐다. 이탈리아에 있는 토리노 박물관에 가보면 카이로스 신을 형상화한 조각이 있는데, 그 모양이 우스꽝스럽다. 앞머리는 길고 덥수룩한데 뒷머리는 머리카락 한 올 없는 대머리다. 눈치가 빠른 사람이라면 이 형상이 무슨 의미인지 벌써 알았을 것이다. 기회란 것은 내 앞에 있을 때 잡을 수 있지만, 지나고 나면 잡을 수 없다는 뜻이다. 덥수룩한 머리는 얼마나 잡기 쉬운가? 그러나 머리카락 한 올 없는 대머리는 절대로 손에 잡히지 않는다. 이것이 바로 기회의 신, 카이로스이다.

바울은 이 '카이로스'라는 단어를 '하나님의 때' 혹은 '크로노스를 뚫고 들어와서 만들어 가시는 하나님의 임재'란 뜻으로 사용한다. 로마서 3장 26절을 보자.

> 곧 '이때에' 자기의 의로우심을 나타내사 자기도 의로우시며
> 또한 예수 믿는 자를 의롭다 하려 하심이라 롬 3:26

여기 나오는 '이때에'가 바로 헬라어로 '카이로스'이다. 다시 말해서, 예수 그리스도께서 가장 정확한 하나님의 때에 오셨다는 것이다. 아무 때나 오신 것이 아니라 로마의 도로가 모든 길과 통하게 되어 복음이 편만하게 전해질 수 있는 때에, 모든 정치적인 상황과 경제적인 여건이 적절하게 조성되었을 때에 하나님의 카이로스가 도래했다는 것이다.

갈라디아서 4장 4절에는 이런 말씀이 있다.

> '때가 차매' 하나님이 그 아들을 보내사 여자에게서 나게 하시
> 고 율법 아래에 나게 하신 것은 갈 4:4

여기 나오는 '때'는 카이로스가 아니라 크로노스이다. 그렇다면 '때가 찼다'는 것은 무엇을 의미하겠는가? 일상적으로 흘러가는 크로노스의 시간이 쌓이고 쌓여서 드디어 '때가 차매' 하나님의 카이로스가 이루어졌다는 것이다.

카이로스를 기다리는 인내

여기서 무엇을 알 수 있는가? 인간의 시간인 크로노스와 하나님의 때인 카이로스 사이에 '간격'(gap)이 존재한다. 따라서 크로노스와 카이로스 사이의 간격을 메워가는 과정에는 필연적으로 기다림이 필요하고 인내가 필요하다. 우리가 신앙생활 한다는 것은 내 뜻대로 사는 것이 아니다. 하나님의 때, 하나님의 뜻을 기다리는 것이 우리의 신앙생활이다. 따라서 기다리는 과정에서 고통과 인내의 과정은 필수적이다.

갈라디아서 5장 22절의 '오래 참음'을 영어 성경으로 살펴보니 NIV에서는 'patience'라는 단어를 사용하는데 반해, KJV를 비롯한 많은 성경이 'long suffering'이라는 단어를 사용하고 있다. 둘 다 '오래 참다'라는 뜻을 가지고 있지만, 그중에서도 'long suffering'은 글자 그대로 오랜 고통을 수반하는 차원에서의 인내가 강조된 단어이다. 따라서 우리가 신앙생활 하는 데 인내하는 과정에서 마음이 힘들고 답답하고 여러 가지 고통이 수반된다면 그것은 지극히 정상적인 과정을 가고 있다는 증거가 된다. 이런 과정을 통해서 성숙한 신앙으로 단련되어 가는 것이다.

그렇기 때문에 우리는 삶 속에서 인내가 나타나야 한다. 여기서는 우리가 구현해야 하는 인내에 대해 크게 두 갈래로 나눠서 살펴보고자 한다.

일상생활 속에서 인내를 이루라

우리 주변에서 일어나는 비극적인 일의 대부분은 다 삶 속에서의 인내를 이루지 못한 데서 기인한다. 예를 들어, 아브라함의 경우를 보자. 하나님께서 그에게 축복을 약속하시며 고향과 친척과 아버지의 집을 떠나라고 하셨을 때 아브라함의 나이는 75세였다. 그때 하나님께서는 그에게 큰 민족을 이루게 하실 것이며 그 이름을 창대하게 하실 것이라고 약속하셨다.

그런데 그에게는 자녀가 없었다. '곧 하나님께서 자녀를 주시겠구나' 하고 기다렸는데 어찌된 영문인지 10년이 지나도록 자녀가 생기지 않았다. 아브라함의 나이가 20대였다면 얼마든지 더 기다려봤겠지만 그의 나이가 벌써 고령이 다 되었으니 그 마음이 얼마나 조급했겠는가? 그래서 하나님의 때, 즉 카이로스를 더 이상 인내하지 못한 아브라함이 여종 하갈을 통해 아들을 낳는다.

이 일이 그 가정에, 또 유대 역사에 얼마나 큰 비극을 가져왔는지 잘 알 것이다. 아들을 낳은 하갈이 주인인 사라를 무시하고, 또 그걸 그냥 보고 있을 사라가 아니다. 하갈을 향한 사라의 모진 핍박이 이어지고 결국 사라의 핍박을 견디다 못한 하갈이 광야로 도망쳤다가 우여곡절 끝에 다시 돌아오는 등 집안이 시끄럽고 복잡해졌다. 이 모든 것이 어디서 기인한 것인가? 하나님의 때를 기다리지 못한 데서 비롯한 비극이다.

야곱의 어머니 리브가도 마찬가지다. 리브가가 쌍둥이를 임신했을 때 하나님께서는 분명한 약속의 말씀을 주셨다.

> 여호와께서 그에게 이르시되 두 국민이 네 태중에 있구나 두 민
> 족이 네 복중에서부터 나누이리라 이 족속이 저 족속보다 강하
> 겠고 큰 자가 어린 자를 섬기리라 하셨더라 창 25:23

리브가는 분명한 하나님의 약속의 말씀을 받았음에도 그 약속은 저 멀리 있고 눈앞에는 부실한 아들만 보일 뿐이었다. 하나님의 약속은 분명 둘째 아들인 야곱에게 있었지만 첫째 아들 에서는 씩씩하고 사내다웠던 데 반해, 야곱은 사내답지도 못하고 형 에서와 달리 사냥은 커녕 집안에서 집안일이나 돕는 유약한 아들이었으니 어머니 리브가의 속은 터질 지경이었다. 게다가 남편인 이삭은 노골적으로 큰아들 에서를 편애하니 엄마 입장에서 얼마나 속상했겠는가?

그래서 결국 리브가가 무슨 일을 꾸미는가? 둘째 아들 야곱을 부추겨서 아버지를 속이고 형 에서가 받을 장자의 복을 훔치도록 한다. 하나님의 때를 기다리지 못하고 인간적인 편법을 쓰는 결정적인 실수를 저지른 것이다. 결국 그 아들이 잘되었는가? 야곱은 그 일 때문에 형 에서와 철천지원수가 되었고 집에 머물 수도 없어서 외삼촌의 집으로 도망가는 도망자의 신세가 되었다. 더 큰 비극은 그 사건 때문에 리브가는 그토록 사랑하는 둘째 아들 야곱을 죽는 날까지 다시는 만나지 못했다는 것이다.

왜 이런 비극이 일어났는가? 분명히 하나님께서 약속의 말씀을 주셨는데, 그 약속의 말씀을 믿고 하나님의 때 카이로스를 기다리지 못했기 때문이다. 이것이 남의 일인가? 오늘날 이 땅의 수많은 가정에서 일어나고 있는 일들이다. 하나님의 약속의 말씀은 저 멀리 있고 눈앞에 보이는 자녀의 성적표는 한숨만 나올 뿐이고, 그래서 마음이 조급해진 탓에 지금도 수많은 어머니들은 하나님의 약속을 신뢰하지 못하고 자신의 방법대로 자녀를 괴롭히고 있지 않은가? 어머니들이 그렇게 열심을 내서 자녀들이 잘되면 그래도 다행이다. 그러나 대부분의 결과는 어떤가? 자녀들이 병들고 우울증에 빠지고 자기비관에 빠지는 엉망진창의 결과를 맺고 있는 것이 현실 아닌가? 이 모든 것이 하나님의 때 카이로스를 기다리지 못하는 부모들의 조급함 때문에 벌어지는 비극이다.

가장 좋은 것은 그냥 맡기는 것이다. 기도하면서 믿음을 가지고 하나님의 때를 인내로 기다리는 것이 필요하다. 그럴 때 하나님께서 하나님의 때가 차매 하나님의 방법대로 일하실 줄 확신한다.

우리는 일상생활 속에서 날마다 성령의 열매 중의 하나가 '오래 참음'이라는 것을 기억해야 한다. 고난과 고통 가운데 힘들고 아플지라도 그 가운데서 'long suffering'으로 하나님의 인내를 이루어가는 것, 이것이 바로 신앙생활이기 때문이다.

영적인 인내를 이루라

우리는 일상생활 속에서의 인내뿐 아니라 영적인 인내를 구현해내야 한다. 신앙생활에 있어서 영적인 인내가 중요한 이유는, 그것이 신앙의 분명한 단계이기 때문이다. 우리가 지금껏 겪어온 신앙생활의 단계를 생각해보라. 처음으로 예수님을 만났을 때 생각만 해도 기쁨과 감사가 넘치던 황홀했던 시기가 있다. 나 역시 그랬다. 나는 목사 아들로 태어나 어머니 배 속에서부터 교회를 다녔지만, 정작 스스로 신앙의 기쁨을 누렸던 때는 23살 때였다. 미국에 가서 하나님을 만난 후에 얼마나 기뻤는지 모른다.

대부분의 그리스도인들이 다 이런 경험이 있을 것이다. 문제는 그 단계가 지속되지 않는다는 것이다. 그런 충만함이 있고 나면 반드시 그 다음에 침체의 단계가 온다. 아무리 기도해도 하나님이 내 기도는 들어주시지 않는 것 같고 심지어 하나님이 나를 고통 가운데 방치해 놓으신 것 같은 깊은 고난이 찾아올 때가 반드시 있다는 것이다.

16세기 수도사 중에 한 사람이었던 요한은 이 단계를 '영혼의 밤'이라고 불렀다. 제랄드 메이(Gerald May)가 수도사 요한이 말한 '영혼의 밤'을 주제로 쓴 책의 제목이 바로 《영혼의 어두운 밤》이다. 그 책에 영혼의 밤을 거치는 동안 얼마나 큰 고통이 도래하는지 잘 표현되어 있다.

"마치 나의 영혼이 사막에 있는 것처럼 다시금 사악한 기운이 커져 가는 느낌을 받았습니다."

영혼의 밤이 도래할 때 느껴지는 감정이다. 또 이런 대목도 있다.

"모든 사람이 다 나의 적인 것 같다는 느낌을 받았을 때."

이것이 영혼의 밤이다. 혹시 우리 가운데 이런 단계 가운데 있는 사람이 있는가? 말씀이 귀에 안 들어오고 기도도 안 되고 기도해봤자 응답도 없고 깊은 침륜에 빠져 사막에 혼자 툭 던져져 있는 것 같은 그런 단계에 빠져 있는 사람이 있다면 낙심하지 말라. 당신은 신앙의 가장 중요한 한 단계에 이른 것이다. 그 시기가 얼마나 중요한 단계인지 모른다. 왜냐하면 거기서부터 신앙의 두 갈래 길이 펼쳐지기 때문이다.

신앙의 두 갈래 길이 펼쳐지는 밤의 시간

한 갈래 길은 영혼의 밤의 단계를 잘 이겨내고 나서 그 다음 단계인 성숙의 단계로 나아가는 길이다. 제랄드 메이는 성숙의 단계를 이렇게 묘사한다.

"그러한 모호성과 집착 다음에 찾아온 하나님의 명료함, 사랑의 해방, 그리고 신뢰의 심오함은 영혼의 어두운 밤이 지니는 특징적인 구성요소입니다."

영혼의 어두운 밤의 특징은 영적인 모호함이다.

"도대체 하나님이 계시기는 한 것인가? 하나님이 날 사랑하시긴 사랑하시나?"

이런 영혼의 모호한 단계를 거치고 나면 하나님 사랑에 대한 명료함의 단계가 이른다. 기왕에 신앙생활 하는 것인데 하나님이 우리에게 모호한 존재가 아니라 명료한 존재로 자리 잡게 되기를 바란다. 그러기 위해서는 영혼의 밤을 견뎌내야 한다. 혼자서는 힘들겠지만 성령의 도우심을 힘입어서 'long suffering'의 인내의 열매를 품고 견뎌내야 한다.

여기에 반해 다른 한 갈래 길은 영혼의 밤을 잘못 보내고 나서 찾아오는 비참한 결과이다. 다시 예전으로 돌아가고자 하는 위험성이 나타나는 길이다. 성경에서 찾아볼 수 있는 대표적인 사람이 바로 베드로이다. 베드로는 주님이 십자가를 지시던 때 예수님을 부인하는 끔찍한 실패를 경험하고서 깊은 영혼의 밤을 맞게 된다. 그리고 그것을 견디지 못하고 옛날로 되돌아가버린다.

시몬 베드로가 나는 물고기 잡으러 가노라 하니 요 21:3

예수님을 만나기 전, 물고기 잡던 시절로 되돌아가버린 것이다. 많은 경우 이런 일들이 일어난다. 그런데 이 말씀을 자세히 보면, 그 극심한 영혼의 밤을 이겨내지 못하고 옛날로 되돌아가는 것에서는 아무런 유익도 얻지 못한다는 사실을 알 수 있다. 베드로는 옛날로 돌아가 물고기를 잡던 그날 밤, 아무것도 잡지 못했다.

그들이 우리도 함께 가겠다 하고 나가서 배에 올랐으나 그날 밤에 아무것도 잡지 못하였더니 요 21:3

이 말씀이 참으로 상징적인 많은 교훈을 준다. 비록 내 인생에 영적인 영혼의 밤이 찾아와 하나님은 저 멀리 계신 것 같고 마음이 너무 힘들고 지친다 할지라도 옛날로 돌아가는 것은 아무 소용이 없다. 왜 그런가? 옛날로 돌아가서는 아무것도 잡을 수 없기 때문이다.

그러면 어떻게 해야 하는가? 치열하게 싸워야 한다. 오래 참음으로, 인내로 싸워야 한다.

너희의 인내로 너희 영혼을 얻으리라 눅 21:19

예수님은 우리의 인내로 영혼을 얻게 될 것이라고 말씀하셨다. 우리는 이 말씀을 잊어서는 안 된다. 우리의 인내로 얻게 되는 것은 우리의 영적 성숙인 것이다.

이뿐 아니라 환난 중에도 즐거워하나니!
그렇기 때문에 우리는 로마서 5장에서 사도 바울이 제시하는 영적 원리를 잘 기억해야 한다.

그러므로 우리가 믿음으로 의롭다 하심을 받았으니 우리 주 예수 그리스도로 말미암아 하나님과 화평을 누리자 또한 그로 말미암아 우리가 믿음으로 서 있는 이 은혜에 들어감을 얻었으며 하나님의 영광을 바라고 즐거워하느니라 롬 5:1,2

정말 기쁘고 감사한 단계이다. 예수님을 영접한 우리에게 이런 행복한 단계가 찾아온다. 그러나 문제는 무엇인가? 이 단계가 영원히 계속되지 않는다는 것이다. 뒤이어서 가슴 아픈 반전이 온다.

> 다만 이뿐 아니라 우리가 환난 중에도 즐거워하나니 이는 환난
> 은 인내를, 인내는 연단을, 연단은 소망을 이루는 줄 앎이로다
>
> 롬 5:3,4

믿음으로 의롭다 하심을 얻고 주 예수 그리스도로 말미암아 하나님과 화평을 누리는 행복한 단계를 지나 어떤 반전이 기다리고 있는가? '다만 이뿐 아니라'라고 시작하는 대반전인 환난이 우리를 기다리고 있다.

하나님께서는 왜 1,2절의 즐거운 상태, 기쁜 상태, 하나님과 화평을 누리는 자들이 행복을 누리는 상태에 내버려두지 않으시고 '다만 이뿐 아니라'라고 하는 냉정한 대반전을 주시는 것일까? 왜 그런가? 그 답이 3절과 4절에 나타나 있다. 하나님과 화평을 누리는 가운데서도 즐거워해야 하지만 '이뿐 아니라' 환난 중에도 즐거워함으로 환난이 인내를 이루고, 인내가 연단을 이루고, 연단이 소망을 이루는 단계로 나아가게 하고자 하심이다.

거듭 강조하지만 LA의 그 중고등학교 선생들이 아이들을 그늘에서 편히 쉬도록 내버려두지 않고 뜨거운 땡볕 아래로 내몰아 거친 숨을

내쉬며 길거리를 뛰게 하는 것은 그것이 아이들에게 유익하기 때문이다. 마찬가지로 우리가 화평의 즐거움 가운데만 머무는 것이 아니라 환난과 인내와 연단의 과정을 통해 소망을 이루게 하는 것이 우리 영혼에 무엇보다 유익하기 때문에 하나님께서 깊은 영혼의 밤을 허락하시는 것이다. 따라서 우리는 사도 바울이 밝힌 이 영적 원리 가운데서 우리 삶에 영혼의 밤이 찾아올 때 해야 할 두 가지 일에 대한 힌트를 얻을 수 있다.

소망을 잃지 말라

우리가 살아가다가 영육 간에 어둠이 찾아올 때 가장 중요한 것은 소망을 가져야 한다는 것이다. 소망이야말로 우리가 영혼의 밤을 견뎌내는 힘이 된다. 야고보서 5장 7절을 보라.

그러므로 형제들아 주께서 강림하시기까지 길이 참으라 약 5:7

야고보 사도는 주께서 강림하시기까지 "길이 참으라"라고 권면한다. 이것이 신앙이다. 길이 참는 것, 'long suffering'이 신앙이다. 그러나 무작정 참는 것이 아니다.

보라 농부가 땅에서 나는 귀한 열매를 바라고 길이 참아 이른 비와 늦은 비를 기다리나니 약 5:7

농부가 씨앗을 심으면 그 다음날 바로 싹이 나고 열매가 맺히는가? 아니다. 반드시 오랜 기다림이 필요하다. 그런데 농부는 그 긴 기다림의 시간을 '소망의 힘'으로 버티는 것이다. 반드시 열매가 날 것이라는 소망으로 그 열매를 바라고 오랜 시간 길이 참으며 기다리는 것이다.

예수님도 마찬가지셨다. 히브리서 12장 2절 말씀이다.

> 믿음의 주요 또 온전하게 하시는 이인 예수를 바라보자 그는 그 앞에 있는 기쁨을 위하여 십자가를 참으사 부끄러움을 개의치 아니하시더니 하나님 보좌 우편에 앉으셨느니라 히 12:2

예수님은 그 앞에 있는 기쁨을 위하여 십자가를 참으시고 부끄러움을 개의치 않으신 분이다. 주님이 지신 십자가가 얼마나 큰 인내를 필요로 했는가? 예수님은 수많은 군병들과 군중의 조롱을 감내해야 했고, 육신적인 극한의 고난을 감당해야 했으며, 영적으로도 성부 하나님으로부터 버림받는 끔찍한 영혼의 고통을 감내하셔야 했다. 그래서 십자가 위에서 예수님은 하나님을 '아버지'로 부르지도 못하셨다. 다만 죄인의 한 사람으로 "나의 하나님, 나의 하나님"이라고 부르짖을 수밖에 없으셨다. 그런 절망적인 상황을 주님이 다 이겨내실 수 있었던 원동력이 바로 소망이다. 장차 예비된 기쁨을 위하여 십자가를 참으실 수 있었다는 것이다.

현재의 한계가 아닌 미래의 소망을 보라

욥도 마찬가지이다. 욥은 이렇게 고백한다.

> 그러나 내가 가는 길을 그가 아시나니 그가 나를 단련하신 후에
> 는 내가 순금같이 되어 나오리라 욥 23:10

개역한글성경에는 "그가 나를 단련하신 후에는 내가 정금같이 나오리라"라고 표현되어 있다. 고난을 통해 단련이 끝나면 정금같이 순전한 모습이 되어 나아갈 것이라는 소망을 잃지 않은 고백이다.

나는 개인적으로 장차 천국에 가면 만나보고 싶은 사람들이 참 많은데, 그중 한 명이 욥의 아내이다. 요즘 세상으로 치면 자기 남편이 IMF를 만나 가진 재산 다 날리고 빚더미에 올라앉았을 뿐 아니라 설상가상으로 불치병에까지 걸려서 다 죽어가는 상황이다. 그런 상황에서 정상적인 아내라면 남편의 건강을 위해서 미음이라도 끓여 먹이고 "걱정 마라, 힘내라" 하며 격려해주었을 것이다. 그러나 욥의 아내는 모진 고난에 처한 남편에게 "당신이 그래도 자기의 온전함을 굳게 지키느냐 하나님을 욕하고 죽으라"(욥 2:9)라고 하면서 저주를 퍼붓는다. 어떻게 이럴 수 있단 말인가?

욥의 친구들도 마찬가지다. 병들고 어려움에 빠진 욥을 문안한다고 찾아와서는 제대로 알지도 못하면서 "네가 이런 엄청난 고난을 당할 때는 네가 뭔가 하나님 앞에서 큰 죄를 저지른 거야. 뭔가 저주받을 짓

을 한 거지?"라고 추궁하기만 한다. 이쯤 되면 친구인지 원수인지 알 길이 없다. 욥은 위로를 받기는커녕 도리어 우울증이 와서 자칫하다 가는 자살할 상황에 빠져버렸다. 그런 욥이 어떻게 그 모든 고난과 고통을 이겨냈는가? 욥의 아내와 친구들을 비롯한 주변 사람들은 욥의 현재만을 보았다. 그러나 욥은 자신이 인생의 밤을 겪어내고 난 이후에 있을 미래를 보았다. 그래서 그것이 그의 소망이 되었다.

따라서 우리 역시 우리의 삶 가운데 인생의 밤이 찾아오고 고난의 밤이 찾아올 때, 내가 광야에 던져진 것 같고 모든 사람이 내게 등을 돌리는 것 같은 때, 깊은 낙심과 절망 가운데 빠져 있는 그때에 현재 자신의 모습에 몰두하는 것이 아니라 장차 누리게 될 하나님의 영광의 소망을 바라보아야 한다. 예수님이 십자가를 지시면서 그 원리를 사용하셨고, 욥이 고난 가운데서 그 원리를 적용했다.

성령님을 의지하여 인내하라

고난이 찾아올 때 우리가 해야 할 두 번째 일은 성령님을 의지하는 것이다. 우리 인생에 고난의 밤이 찾아올 때 그것은 성령님이 우리 영혼의 문을 두드리시는 소리라고 보면 정확하다. 우리는 이 사실을 반드시 기억해야 한다.

지금까지는 내 멋대로 살면서 나 혼자의 힘으로 잘살 것처럼 행동해왔지만, 인생의 밤이 찾아오면 결코 내 힘으로는 버텨낼 수 없다는 사실을 자각하게 된다. 그때는 성령의 열매인 'long suffering', '오래 참음'의 열매를 취하여 성령님을 의지하여 살아가라는 주님의 메시지인 것이다. 신앙생활이라는 것은 어떻게든 내 힘으로 해보겠다고 끙끙거리며 버티는 것이 아니다. 나의 한계를 처절하게 절감함으로 하나님을 의지하면서 인내함으로 나아가는 것이다.

인생의 어두운 영혼의 밤이 찾아올 때 우리가 소망을 가지고 또 성령님을 의지하면서 나아가는 것이 신앙생활의 가장 중요한 법칙 중 하나라는 사실을 묵상하는 가운데 문득 떠오르는 사람이 있었다. 개인적으로 만나보지도 또 잘 알지도 못하는 사람이었다. 바로 팀 티보우(Tim Tebow)의 어머니였다.

인생의 어두운 밤을 지나고 나니!

얼마 전에 집회 관계로 미국에 갔더니 신기하게도 만나는 사람마다 내게 팀 티보우에 대해 이야기했다. 지금 미국 전역에 팀 티보우 돌풍이 불었다는 것이다. 그에 대해 전혀 생경했던 나는 나중에 그에 대한 자료와 동영상을 찾아보며 큰 감동과 도전을 받았다.

팀 티보우는 필리핀 선교사의 자녀로 태어났다. 안타깝게도 그의 어머니는 팀 티보우를 임신했을 때 아메바성 바이러스 감염으로 목숨이 위태로운 상황을 맞았다고 한다. 병원에서는 산모를 위해 아이를 포기할 것을 권면했다. 하지만 어머니는 배 속의 아이를 지키기 위해 치료약조차 먹지 않고 그 모든 연단의 과정을 주님을 향한 믿음과 인내로 버텼고 결국 모든 어려움을 극복하고 건강한 아이를 낳았다.

아이를 키우는 과정도 특별했다. 티보우의 부모는 자녀를 학교에 보내지 않고 홈스쿨링으로 가르치며 철저히 신앙 안에서 양육했다. 그런 부모님의 헌신 덕분에 티보우는 부모의 신앙을 따라 독실한 기독교인으로 성장했다.

미식축구 선수가 된 그는 "John 3:16"(요 3:16)이라는 글자가 쓰인 아이패치를 붙이고 매 경기에 출전했으며, 수많은 역전승을 기록한 기적의 주인공이 되었다. 프로 팀에 입단한 후에도 언론의 비아냥거림과 상관없이 그의 기적은 계속되었다. 문구 삽입을 금지하는 프로 팀의 규정에 따라 그는 성구가 쓰인 아이패치 대신 무릎을 꿇고 예수님께 감사 기도를 드리는 것으로 주님을 자랑했다. 그의 기적적인 역전승과 신앙은 미국 전역에 돌풍을 일으켰다. 그의 기도하는 모습을 따라하는 것을 지칭하는 '티보잉(Tebowing)'이라는 신조어가 탄생할 정도였다.

그에 대한 동영상을 보면서 정말 눈물이 났다. 동영상은 기적의 주인공이라 불리는 팀 티보우에게 초점이 맞춰져 있었지만, 나는 그 영상을 보는 내내 아이를 잉태하고 낳고 키우는 모든 과정 속에서 'long suffering'의 깊은 인내로 견뎌 낸 후 드디어 아름답고 찬란한 열매를 맺은 그 어머니와 아버지의 모습이 오버랩 되어서 보였기 때문이다. 물론 티보우 자신도 수많은 영적인 밤을 인내로 거쳤을 테지만, 아이를 지워야 한다는 병원의 가슴 아픈 진단에도 소망을 놓지 않고 인내했던 그 어머니의 고통과 인내가 없었다면 그토록 찬란한 열매는 볼 수 없었을 것이었다.

팀 티보우처럼 세계를 뒤흔드는 큰 인물은 아니더라도 하나님이 우리에게 주신 자녀, 우리에게 허락하신 가정, 우리 삶 속에 허락하신 크고 작은 모든 영역에서 우리는 하나님의 영광을 드러내는 삶을 살아야 한다. 그러나 그 영광의 삶을 위해서는 그 이면에 얼마나 많은 오래 참음이 있어야 하는지를 영혼 깊이 자각해야 한다. 그래서 혹시 인생의 혹독한 밤이 찾아올 때 현실에 절망하여 포기하고 옛 모습으로 되돌아가는 것이 아니라 소망을 가지고 분투함으로 인내를 이루어갈 수 있어야 한다.

혹시라도 우리 가운데 혹독한 인생의 밤을 거쳐 가고 있는 사람이 있다면 어두운 현실만 바라보는 것이 아니라 욥처럼 소망을 가지고 고통 너머의 미래를 볼 줄 아는 영안이 열리게 되기를 바란다. 그리고 무엇보다 성령님을 의지하여 성령의 열매인 '오래 참음'을 가지고 달려 나가는 우리 모두가 되기를 간절히 바란다.

오래 참음에서
진정한 정의가 피어난다

최근에 읽은 책 중에 《내 마음의 열매 가꾸기》라는 책이 있다. 이 책에서는 인내를 두 종류로 나누고 있다. 하나는 상황에 대한 인내, 다른 하나는 사람에 대한 인내이다. 그러면서 이 책은 보통의 경우 인내는 상황에 대한 인내보다는 사람에 대한 인내를 요구한다고 주장한다. 곰곰이 생각해보면 참 일리 있는 주장이다.

하나님의 인내도 마찬가지란 생각이 든다. 하나님의 인내와 관련하여 다음과 같은 유명한 이야기가 전해진다. 미국의 유명한 로버트 잉거솔(Robert Ingersoll)이라는 무신론자 정치가가 있었는데, 하루는 잉거솔이 무신론에 대해 강의하다가 탁상시계를 탁 꺼내놓으며 이런 호기를 부렸다고 한다.

"내가 지금부터 하나님께 5분간의 시간을 주겠습니다. 지금부터 5분 동안 내가 하나님을 저주할 때, 그동안 하나님이 나를 죽이기를 바랍니다. 만약 5분이 지나도 내가 죽지 않고 살아 있다면 그것은 하나님이 없거나 하나님이 무능한 실패자에 불과하다는 뜻입니다."

그러면서 5분 동안 하나님을 향해 저주를 퍼붓기 시작했다. 5분이 지났다. 아무 일도 일어나지 않았다. 그러자 잉거솔이 의기양양하게 큰 소리를 쳤다.

"이것 보십시오. 아무 일도 일어나지 않았잖습니까? 그렇기 때문에 하나님은 실패자입니다!"

이 이야기를 전해들은 신학자 데오도르 파커(Theodore Parker)가 빙그레 웃으며 이렇게 이야기했다고 한다.

"과연 하나님이 실패하신 것일까요? 오래 참으시는 하나님의 인내를 5분으로 단축시켜보려고 한 잉거솔의 시도가 패배한 건 아닐까요?"

오래 참으시는 하나님

하나님께서는 인내하시는 분이시다. 그런데 그 하나님의 인내는 주로 우리 인간들과 관계된 인내이다. 그래서 성경을 보면 하나님을 묘사할 때 "노하기를 더디 하시는 분"이라는 , "오래 참으시는 분" 등의 표현을 사용한다.

여호와께서 그의 앞으로 지나시며 선포하시되 여호와라 여호
와라 자비롭고 은혜롭고 노하기를 더디하고 인자와 진실이 많
은 하나님이라 출 34:6

혹 네가 하나님의 인자하심이 너를 인도하여 회개하게 하심을
알지 못하여 그의 인자하심과 용납하심과 길이 참으심이 풍성
함을 멸시하느냐 롬 2:4

로마서의 이 말씀은 꼭 하나님이 잉거솔에게 하시는 말씀 같지 않
은가? 그런가 하면 베드로후서 3장 9절은 이렇게 기록한다.

주의 약속은 어떤 이들이 더디다고 생각하는 것 같이 더딘 것이
아니라 오직 주께서는 너희를 대하여 오래 참으사 아무도 멸망
하지 아니하고 다 회개하기에 이르기를 원하시느니라 벧후 3:9

이 같은 성경의 증언들이 다 관계적 측면에서의 하나님의 인내 아
닌가? 이런 하나님이 바로 우리의 하나님이시다!

왜 하나님은 인내하셔야 하는가?

그렇다면 이런 질문이 가능할 것이다. 왜 하나님은 인내의 하나님
이어야 하는가? 왜 하나님은 우리에 대하여 그토록 오래 참으셔야 하

는가? 나는 이 질문에 대해 '사랑장'으로 유명한 고린도전서 13장으로 설명해보려고 한다.

> 사랑은 오래 참고 사랑은 온유하며 시기하지 아니하며 사랑은 자랑하지 아니하며 교만하지 아니하며 무례히 행하지 아니하며 사기의 유익을 구하지 아니하며 성내지 아니하며 악한 것을 생각하지 아니하며 불의를 기뻐하지 아니하며 진리와 함께 기뻐하고 모든 것을 참으며 모든 것을 믿으며 모든 것을 바라며 모든 것을 견디느니라 고전 13:4-7

고린도전서 13장 4-7절에서 언급된 사랑의 속성은 전부 몇 가지인가? 숫자만 셀 수 있다면 금방 알 수 있을 것이다. 여기에서 언급된 사랑의 속성은 모두 열다섯 가지이다. 그런데 한 가지 중요하게 살펴봐야 할 것이 열다섯 가지의 사랑의 속성 가운데 무려 세 번이나 반복되는 것이 '인내'에 관련된 속성이라는 것이다. 하나님께서 사랑의 문을 여시는 첫 단추가 '오래 참고'이고 또 마지막 문을 닫는 그 마무리가 '모든 것을 견디느니라'이다. 그 사이 사랑을 유지해가는 과정에서도 '사랑은 모든 것을 참으며'라는 인내의 구절이 들어가 있다.

이것으로 볼 때 우리가 "하나님은 사랑이시라"라고 정의할 때, 그 명제가 가능하기 위해서는 그 안에 '하나님의 인내하심'이 내포되어야 한다는 것을 알 수 있다. 다시 말해, 하나님의 속성이 사랑이시기 때문에 그분은 인내하실 수밖에 없다. 고린도전서 13장을 묵상하면서 깨닫게 되는 것은, 하나님께서는 지금 우리에게, 잉거솔과 같은 사람을 포함한 우리 모두에게 오래 인내하심으로 그분의 사랑을 구현하고 계시다는 사실이다.

그런 점에서 볼 때 너무나 변덕스러운 우리의 사랑에 대해 반성해야 한다는 생각이 들었다. 나부터 그렇다. 내가 기분이 좋고 아내가 잘해주면 "사랑해. 세상에 당신만한 사람은 없을 거야. 당신을 만난 나는 정말 행운아야"라고 웃으며 아내를 대하는데, 상대방이 조금만 실수하고 내 기분이 조금만 안 좋아져도 "어떻게 당신이 이럴 수 있어?"라면서 화를 내니 말이다. 이런 사랑은 진짜 사랑이 아니다. 왜냐하면 '사랑' 안에는 인내가 담겨 있어야 하기 때문이다.

우리가 자녀를 얼마나 사랑하는가? 그 사랑 때문에 우리는 자녀를 향해 초인적인 힘으로 인내하며 오래 참는다. 나는 개인적으로 하나님이 우리에게 자녀를 허락하시는 이유가 이것 때문이라고 생각한다. 조금도 참지 못하는 우리에게 자녀를 주심으로써 오래 참는 사랑을 가르쳐주시는 것 같다.

만약 내 성격대로 자녀들을 대한다면 우리 집 세 아이들과 나는 벌써 원수 맺고 헤어졌을 것이다. 내게 이렇게 함부로 대하는 사람들이 또 어디 있겠는가? 매일 내게 상처 주고 아픔을 주고 약속도 안 지키고, 우리 집 아이들만 이러는 것은 아니다. 대부분의 아이들이 제 부모 속을 그렇게 썩인다.

어떤 때는 아무리 자식이지만 화가 나고 속이 상해서 잠도 오지 않을 때도 있다. 그러다가도 아이가 슬며시 와서 "아빠, 죄송해요"라고 하면 또 언제 그랬냐는 듯이 마음이 풀리고 "뭐, 그럴 수도 있지" 하고 웃어넘기게 된다. 이것이 부모 마음 아니겠는가? 나는 자녀들을 키우면서 하나님이 여러 번 이렇게 말씀하시는 것을 느낀다.

"거 봐. 너도 할 수 있잖아. 너도 용서가 되네. 원수도 사랑할 수 있어!"

이런 관점으로 성령의 열매로서의 인내를 관계적인 측면에서 크게 두 가지로 나눠서 살펴보고 싶다. 첫째는 상대방을 기다려주는 인내이도 둘째는 나를 기다려주는 인내이다.

상대방을 기다려주는 인내

먼저 살펴볼 것은 상대방을 기다려주는 차원에서의 인내이다. 우리에게는 상대방에 대한 인내가 필요하다. 사도 바울은 에베소서에서 다음과 같은 권면을 한다.

> 모든 겸손과 온유로 하고 오래 참음으로 사랑 가운데서 서로 용납하고 평안의 매는 줄로 성령이 하나 되게 하신 것을 힘써 지키라 엡 4:2,3

"오래 참음으로 사랑 가운데서 서로 용납하라"는 이 말씀의 권고가 우리나라에 절실히 필요하다. 나는 할 수 있다면 이 말씀을 포스터로 만들고 플래카드로 만들어서 온 대한민국에 붙여놓고 싶다. 지금 이 땅에 왜 '오래 참음으로 서로 용납하는 것'이 필요한가?

우리는 지난 총선에서 부인하고 싶지만 부인할 수 없는 참 뼈아픈 진실 하나를 발견했다. 머리부터 발끝까지, 처음부터 끝까지 완전히 다른 생각을 가진 두 그룹이 존재한다는 사실을 확인한 것이다. 선거가 끝나고 다음날 배달된 신문을 펼쳐 보고는 입이 다물어지지 않았다. 한반도를 딱 반으로 갈라서 동쪽은 보수정당의 당선을 나타내는 빨간색, 서쪽은 진보정당의 당선을 나타내는 노란색 일색이다.

어떻게 이런 일이 가능한가? 사람을 보고 인물됨을 보고 뽑았다면, 이 당(黨)에 좋은 사람이 있을 수 있고 저 당에 좋은 사람이 있을 수도 있고, 또 이 당에 나쁜 사람이 있을 수 있고 다른 당에 나쁜 사람이 있을 수도 있을 텐데, 어떻게 지역별로 특정 당으로 몰릴 수 있냐는 것이다. 그 과정에서 많은 정치인들이 "공의, 심판"을 외치지만, 그 공의라는 것이 내 편에게는 고무줄처럼 늘어나고 상대편에게는 편협하기 짝이 없다는 것을 우리는 눈으로 여실히 본 것 아닌가 싶다.

나는 이런 선거 과정을 보면서 옛날부터 알고 있던 우화 하나가 떠올랐다. 옛날, 작은 우물 안에 개구리 두 마리가 살고 있었다. 그런데 이 개구리 두 마리는 날마다 물고 뜯고 서로를 미워했다. 계속 서로를 미워하며 원망하던 어느 날, 한 개구리가 그만 죽고 말았다. 다른 개구리는 이제 꼴 보기 싫은 다른 개구리를 안 봐도 되니 "이젠 내 세상이다"를 외치며 기뻐했다. 그런데 문제가 생겼다. 그 개구리가 죽고 나서 시간이 점점 흐르자 그 죽은 개구리 때문에 우물이 썩기 시작한 것이다. 결국 그 죽은 개구리 때문에 살아 있는 개구리 역시 썩은 물에서 죽고 말았다는 우화이다.

선거 결과를 지켜보는 내내 이 우화가 떠오르면서 '오늘날 대한민국이 다른 생각을 가진 사람들을 서로 용납하고 포용하고 인정해주고 기다려주지 못하는 것 때문에 둘 다 망하는 것 아닌가!' 하는 탄식이 마음에서 그치지 않았다. 이런 비참한 결과를 피하기 위해서는 어떻게 해야 하는가? 에베소서에 기록된 대로 오래 참음으로 나와 다른 생각을 가진 사람들에게 포용하고 용납해주는 태도, 바로 이것이 우리에게 절실하다!

공의를 심고 인애를 거두라

지금 우리나라뿐 아니라 세계적으로 '정의' 열풍이 일고 있다. 서점마다 정의에 관련된 책들이 꽤 오랫동안 베스트셀러 상위권을 차지하기도 했다. 어느 날 집에 있는 중학생 딸아이를 봤더니 《정의란 무엇인가》란 책을 읽고 있었다. 하버드대학교에서 진행한 강의 내용이니 책의 내용이 얼마나 어렵겠는가? 그런데 그 책을 중학교 2학년짜리 딸아이가 읽고 있는 것이었다. 그래서 내가 물었다.

"너 이거 이해는 되니?"

딸이 하는 말이 자기도 무슨 말인지 잘 모르겠단다. 그래서 내가 다시 물었다.

"근데 왜 읽는데?"

그랬더니 사람들이 하도 "정의, 정의" 하고 그 책에 대해 이야기하니까 궁금해서 읽어보는 거라고 한다.

정의는 무엇인가? 호세아서는 정의에 대해 이렇게 말한다.

> 너희가 자기를 위하여 공의를 심고 인애를 거두라 너희 묵은 땅
> 을 기경하라 지금이 곧 여호와를 찾을 때니 마침내 여호와께서
> 오사 공의를 비처럼 너희에게 내리시리라 호 10:12

이 말씀에서 뭐라고 말하는가? 여호와께서 공의를 비처럼 내려주실 것인데, 우리를 향해서는 공의를 심고 인내를 거두라고 말씀한다. 이 부분을 표준새번역으로 보면 "정의를 뿌리고 사랑의 열매를 거두어라"라고 표현했다. 영어성경 NIV를 찾아봤더니 "reap the fruit of unfailing love"라고 되어 있다. 여기서 깨달은 것이 하나 있다. 우리가 정의를 뿌리고 나면 거기서 반드시 'unfailing love', 곧 '실패하지 않는 사랑의 열매'가 거두어져야 한다는 것이다. 원어 성경에는 이 단어가 '하나님의 사랑'이란 뜻의 헬라어 '아가페'와 똑같은 뜻을 가진 히브리어 '헤세드'가 쓰였다. 우리가 정말 정의를 심는다면, 우리가 정의를 심고 오래 인내할 때 거기에서 실패할 수 없는 하나님의 사랑이 싹터야 그것이 진정한 정의라는 것이다.

정의는 상대방을 참아주는 것이다

오늘날 우리의 현실은 어떤가? '정의'를 부르짖으면서 자기와 생각이 조금만 달라도 그 사람을 비난하고 분노하며 자신은 정의롭고 상대방은 정의롭지 않다고 울분을 토하지 않는가? 그러면서 그것이 정의라고 주장한다. 그러나 적어도 성경이 말하는 정의는 아니다. 내가 진짜 정의를 구현한다면 내 안에서 실패하지 않는 사랑의 열매가 거두어져야 한다. 그것이 진짜 정의이다.

나도 과거에는 정의를 부르짖던 사람이었다. 차를 몰고 가다가 누가 신호라도 어기면 바로 손가락질을 하고, 무리하게 내 차 앞으로 끼어드는 차가 있으면 어떻게든 따라가서 충고라도 한마디 해줘야 했으며, 누가 차 창 밖으로 담배꽁초를 버리면 그것을 주워서 따라가 차 안으로 다시 집어던져주어야만 직성이 풀리던 사람이었다. 나는 그것이 정의라고 생각했다. 그러나 그것이 아니었다.

성경이 말하는 정의는 기다려주는 것이다. 비록 상대방이 정의롭지 못하더라도, 비록 상대방이 미숙하더라도 오래 참고 기다려주는 그 과정에서 하나님의 실패하지 않는 사랑, 헤세드 사랑이 싹터야 하는 것이다. 그렇다면 오늘날 우리나라는 정의로운가? 이렇게 편 가름이 심하고 나와 다른 생각을 가진 사람들에 대한 증오가 팽배한 정의는 적어도 하나님의 관점으로는 옳은 정의가 아닌 것이 확실하다.

상처를 참는 것이 인내

고린도전서 13장의 말씀도 마찬가지다. 고린도전서 13장 4절의 "사랑은 오래 참고"라는 성구에서 '오래 참고'는 헬라어로 '마카로튀미아'라는 단어이다. 이 단어는 화가 나기 전의 참는 상태를 묘사하는 단어이다. 어느 글에서 이 단어를 이렇게 설명했다.

"인간관계 속에서 다른 사람에게 받은 상처를 견디어내는 인간적 특성을 담고 있는 단어이다."

따라서 고린도전서 13장 4절의 '오래 참고'는 환경적인 것이나 배고픈 것을 참는 걸 뜻하는 것이 아니다. 관계 속에서 인내하는 것, 부당한 일을 당해도 보복하지 않는 태도가 바로 여기서 말하는 '오래 참음'이다.

실제로 고린도전서의 수신인이었던 고린도교회 성도들을 보면 부당하고 억울한 일을 당하는 경우가 많았다. 차별대우 당하고 무시당하는 일이 비일비재했던 것 같다. 그러고 보면 오늘날 교회나 고린도교회나 교회 안에는 늘 이렇게 부당하게 대우받고 상처를 주고받는 일들이 있기는 마찬가지인 것 같다. 어느 교회인들 완전한 교회가 있겠는가? 다 상처를 주고받을 수밖에 없는 미숙한 교회이다.

가정은 어떠한가? 한번 생각해보라. 우리가 사회나 교회에서 더 많이 상처를 받는가? 아니면 가정에서 더 많이 상처를 받는가? 서로 참고 사는 것이지 상처 받지 않고 사는 사람이 어디 있는가? 상처 안 받고 사는 것이 아니다. 참아내면서 사는 것이다.

내 아내는 무척 착하고 소심한 사람이다. 어디 가서 싫은 소리 한 마디 제대로 못 하는 사람이다. 그런데 나한테만은 예외다. 잔소리도 하고 짜증도 내고 때로는 상처 주는 말도 한다. 그게 가정이다. 그렇다고 내가 아내에게 "옆집 아저씨한테는 안 그러면서 나한테는 왜 그러느냐?"고 따질 수 없는 것이 가정이다. 그 모든 것을 받아주고 포용해주면서 사는 것, 오래 참고 인내하면서 유지하는 것이 가정인 것이다.

모든 사람에게 오래 참으라

그렇기 때문에 우리는 대인관계에서 두 가지를 기억해야 한다. 할 수만 있다면 다른 사람에게 상처 주는 것은 하지 말아야 한다. 공의를 부르짖고 정의를 찾으며 비판하고 정죄하는 것은 정말 미숙한 태도이다. 그런가 하면 또 한 가지 '마카로튀미아'를 기억해야 한다. 지금 화가 날 수밖에 없는 상황이지만 그것을 참아내는 것, 그것이 우리가 부부관계 또는 교회 생활을 통해 이루어내야 하는 인내이다.

그리고 이것은 내 의지로 되는 것이 아니라 하나님의 성품과 성령의 열매로서 구현되는 것이기 때문에 우리는 늘 성령님을 의지해야 한다. 데살로니가전서 5장 14절을 보면 이런 말씀이 나온다.

> 또 형제들아 너희를 권면하노니 게으른 자들을 권계하며 마음이 약한 자들을 격려하고 힘이 없는 자들을 붙들어주며
>
> 살전 5:14

여기서 권하는 것들이 다 정의에 대해 말하는 것 아닌가? 그런데 마지막 한 마디가 무엇인가?

모든 사람에게 오래 참으라 살전 5:14

대인관계에서 상대방의 연약함을 오래 참아주지 못하는 공의는 가짜 공의이다. "정의란 무엇인가?"란 질문에 답을 찾기 위해 대학 교수 강의를 들을 필요 없다. 하나님이 내 안에서 성령의 열매인 상대방에 대한 오래 참음이, 특별히 연약한 자들에 대한 인내가 내 안에서 이루어질 때, 그래서 내가 정의를 심으면 거기에서 실패하지 않는 사랑의 열매가 거두어지는 그것이 진짜 정의이다. 그런 열매가 가득한 우리 모두가 되기를 간절히 바란다.

나를 기다려주는 인내

그런가 하면 두 번째 측면의 인내는 나 자신을 기다려주는 것이다. 이것은 지금까지 살펴본 '상대방을 참아주는 인내'와 또 다른 국면이다. 《구원 이후의 여정은》이라는 제목의 책이 있는데, 그 책에 보면 이런 부제가 붙어 있다.

"과정적이고 지향적인 존재로서의 그리스도인."

그 책에 목표에 대한 두 가지 표현이 나오는데 '지향적 목표'와 '현재적 목표'가 그것이다. 저자는 이 두 가지 목표를 대별하여 설명하면서, 우리 그리스도인들은 중생(重生)한 이후에도 현재적 목표로서 완전히 변화된 삶을 사는 자들이 아니라 지향적 목표를 향해 한 걸음 한 걸음 나아가야 하는 존재라는 것이다. 그런데 이 부분을 많이들 오해한다는 것이다.

예를 들어, 산상수훈 같은 말씀을 읽을 때 현재적 목표를 가지고 읽으면 안 된다는 것이다. 그런데 우리가 자꾸 현재적 목표를 가지고 말씀을 읽다 보니 '오, 엑스'(O, X)가 너무 많다. "원수를 사랑하라? 나는 이것은 못해. 이것은 엑스", "누가 오 리를 가달라고 하면 십 리를 가준다? 이것은 오" 이런 식이다. 성경을 현재적인 관점으로 보기 때문에 지금의 자기 상태에 비추어 '오, 엑스'가 많은 것이다.

그러나 우리는 과정적인 관점에서 지향적인 목표를 향해 나아가야 한다. 그래서 비록 지금은 누가 오 리를 함께 가달라고 하면 이 리까지밖에 가주지 못하지만 "난 못 해. 난 엑스"라고 하는 것이 아니라 지향적 목표를 가지고 "하나님, 제가 지금은 비록 조금밖에 함께 가주지 못하지만 주님을 의지함으로 더 노력하고 몸부림쳐서 내년에는 더 많이 함께 가주겠습니다. 그래서 결국 하나님이 말씀하신 대로 십 리까지 함께 가주는 그날이 오게 될 줄 믿습니다"라고 고백하며 나아가야 한다는 것이다.

그러면 그 과정에서 필수적으로 생겨나는 것이 무엇인가? 지금 그렇지 못한 나 자신에 대한 인내, 나를 기다려주는 것이 필요하다.

완벽하든가, 솔직하든가!

심리학자 융의 이론에 따르면 인간의 마음 구조 중에는 자아의 어두운 면이 있는데, 그는 그것을 '그림자'라고 이야기한다. 빛이 있으면 반드시 그림자가 있듯이 모든 인간은 자기 스스로를 좋게 보는 면, 긍정적인 면, 자부심을 갖게 만드는 면이 있는가 하면, 반대로 마음에 안 드는 면, 어두운 면, 부정적인 면이 반드시 있다는 것이다. 이것을 '양가감정'이라고 말하기도 한다. 이것이 사실이라면 우리는 무엇을 인정해야 하는가? 겉으로 드러난 나의 화려한 모습만 떠벌리고 자랑할 것이 아니라 나의 깊은 내면에 있는 연약한 모습도 인정해야 한다. 그리고 그것에 대해 기다려주어야 한다.

그래서 나는 나 같은 목회자들을 포함해 지도자들은 둘 중 하나여야 한다고 생각한다. 하나는 누구에게도 책잡히지 않을 만큼 완벽하든지, 그럴 자신이 없으면 솔직하든지 그 두 가지 중 하나를 택해야 하는 것이다. 나는 내 자신이 완벽하지 않다는 것을 너무나 잘 알고 있다. 그래서 나는 항상 솔직해지는 편을 택하려고 한다. 내 약점을 감추고 포상하고 가리는 데 급급하다 보면 앞으로 나아가야 하는 여정에 방해가 되기 때문이다.

사실 내가 생각해도 10년 전의 내 모습을 되돌아보면 지금의 나는 정말 많이 성화(聖化)가 된 것 같다. 아마 나와 함께 교회를 개척했던 개척 멤버들은 다 인정할 것이다. 40대 초반의 나는 얼마나 미숙하고 거칠고 메마른 성격이었는지 모른다. 설교하다가 원고에도 없는 이야기를 하며 화를 내고, 새벽예배 안 나온다고 소리 버럭버럭 지르고, 갑자기 성가대를 처다보며 이번 주부터 새벽예배 안 나오면 성가대 하지 말라고 하는 등 말도 안 되는 설교를 참 많이 했다. 그때의 모습을 생각해보면 지금은 그렇게 혈기 부리는 것은 많이 없어졌다. 아마 앞으로 점점 더 좋아질 것이다. 10년 뒤의 내 모습은 훨씬 더 온유해져 있을 것이다. 나는 그것을 확신한다. 그렇기 위해서는 어떻게 해야 하는가? 내 주변 사람들과 성도들이 나를 기다려줘야 하고, 또 내가 나 자신을 기다려줘야 한다.

하나님이 온전히 이루어주신다는 확신

우리는 우리 자신을 기다려주어야 한다. 이것이 안 되기 때문에 지금 대한민국이 자살공화국이라는 오명을 쓰고 있는 것이다. 복지부에서 발표한 자살 통계 결과를 보고 정말 깜짝 놀랐다. 2010년 한 해 동안 우리나라에서 목숨을 끊은 사람이 하루 평균 42.6명이라고 한다. 34분마다 한 명씩 자살하고 있다는 것이다. 그 결과 국제협력개발기구(OECD) 국가 중 자살률 1위를 차지하는 불명예를 얻었다. 자기 자신을 기다려주지 못하기 때문이다.

이런 극단적인 경우가 아니더라도 너무 많은 사람들이 지향적인 목표로서의 자기 모습을 바라보지 못하고 현재적 목표로서 자신을 바라보기 때문에 실망하고 낙심하고 자포자기하고 만다. 그래서 우리에게는 이런 확신이 필요하다.

너희 안에서 착한 일을 시작하신 이가 그리스도 예수의 날까지

이루실 줄을 우리는 확신하노라 빌 1:6

우리 안에 이미 착한 일을 시작하신 분께서 그리스도 예수의 날이 이를 때까지 온전히 이루실 것이다.

에베소서 2장 10절에는 이런 말씀이 있다.

우리는 그가 만드신 바라 그리스도 예수 안에서 선한 일을 위하

여 지으심을 받은 자니 이 일은 하나님이 전에 예비하사 우리로

그 가운데서 행하게 하려 하심이니라 엡 2:10

여기서 '만드신 바'라는 단어는 헬라어로 '포이에마'이다. 이 단어에서 영어단어 '시'를 뜻하는 'poem'이 파생됐다. 즉, 우리는 하나님의 '포이에마', 다른 말로 하나님의 시 같은 아름다운 존재라는 것이다.

윌리엄 스태포드(William Stafford)라는 시인에게 어느 날 기자들이 찾아와 이렇게 물었다고 한다.

"선생님께서는 언제부터 시인이 되고자 결심하셨습니까?"

그랬더니 그가 이런 이야기를 했다.

"이 세상에 태어난 사람은 누구나 다 시인입니다. 다만 그것을 언제 그만 두었는지는 각 사람에게 물어봐야겠지요."

이 말이 무슨 뜻인가? 내가 다른 사람들보다 탁월해서 시인이 된 것이 아니라 모든 사람이 다 시인으로 태어났다는 것이다. 그런데 누군가는 어떤 일로 꺾여서 포기하고, 다른 사람은 또 다른 일로 꺾여서 시인의 삶을 포기했기 때문에 남아 있는 자기가 시인이 됐다는 것뿐이다. 참 의미 있는 이야기이다.

우리가 어릴 때 어땠는지 한번 생각해보라. 시인이 아니었던 사람이 누가 있었는가? 날아가는 새만 봐도 웃음을 감출 수 없는 감수성 예민한 시인의 감성이 우리에게 다 있었다. 언제부터 우리가 시 쓰는 것을 멈추게 되었는가? 언제부터 아름다운 시가 나오던 그 입술에서 울분과 분노가 나오는 불행한 인생이 되고 말았는가? 우리는 태어날 때 다 하나님의 시 같은 아름다운 존재로 태어났다. 무슨 일로 이것들이 중단되었는지 돌아보아야 한다. 그리고 먼저 현재적인 입장에서 미숙한 나 자신에 대해 '오래 참음'을 해주어야 한다.

자신을 기다려주는 것과 관련하여 박민규 작가의 《죽은 왕녀를 위한 파반느》라는 책의 한 대목에서 큰 감동을 받은 적이 있다. 그중 한 대목이다.

"인디언들은 말을 타고 달리다 이따금 말에서 내려 자신이 달려온 쪽을 한참동안 바라보곤 한다. 말을 쉬게 하려는 것도 아니고 자신이 쉬려는 것도 아니다. 행여 자신의 영혼이 따라오지 못할까 봐 걸음이 느린 영혼을 기다려주는 배려였다. 그리고 영혼이 곁에 왔다 싶으면 그제서야 다시 달리기를 시작한다."

오늘날 우리는 치열한 경쟁사회 속에서 성공에 목말라 하며 너무 조급하게 달려가고 있다. 그러다 보니 내 능력이 내 조급함을 따라가지 못할 때가 너무 많다. 그래서 자기 자신한테 화가 난다. '나는 왜 이것밖에 안 되는가?'라며 매일 자신을 탓한다. 그럴 때 우리는 그 인디언이 보여주는 것처럼 조급함을 내려놓고 내 영혼이 더디오는 것을 기다려주는 마음의 자세가 필요하다. 오늘날 우리에게 바로 이것이 필요하다.

하나님 없는 완전함보다 하나님 의지하는 불완전함!

최근에 우리 교회의 교역자가 목사 안수를 받는 자리에 축하해주기 위해 갔다가 내 심장이 심하게 요동하는 경험을 했다. 마음이 급작스럽게 뜨거워졌다. 왜냐하면 20여 년 전 바로 그 자리에 내가 안수 받기 위해 서 있던 것이 생각났기 때문이다. 목사 안수를 받기 전, 나는 하나님께 정말 절박하게 기도했다.

"하나님, 저는 다혈질이에요. 인격이 모자라는 사람입니다. 저는 목회하면 사람들에게 상처 주기 쉬운 인간이에요. 하나님, 그래서 제가 간절히 기도합니다. 제가 목사 안수 받는 날 단순한 인간 목사님들의 안수로 끝나는 요식행위가 아니라 성령님께서 직접 제 머리에 안수해주옵소서. 그래서 내 모든 약점 다 교정받고 치유함 받아서 완전히 달라진 인격으로 목회하는 목사가 되게 해주세요."

그때는 금식도 불사하며 얼마나 절박하게 기도했는지 모른다. 그런데 이 기도가 응답되었겠는가? 안타깝지만 되지 않았다. 이미 고백했듯이 나는 개척하고도 미숙한 모습을 너무나 많이 드러낸 부족한 목사였다. 그래서 나는 늘 이것이 하나님께 섭섭하기도 했고 궁금하기도 했다. 왜 나를 변화시켜주지 않으셨을까? 그런 내게 하나님이 주신 응답이 무엇이었는지 아는가?

"나는 네가 한순간에 100퍼센트 성화되어 완벽한 인간이 되어서 이후로는 하나님을 의지하지 않고도 독립적으로 목회를 잘할 수 있는 사람이 되기를 원치 않는다. 나는 네가 문제가 있고 약하지만 그 문제 때문에 날마다 내 앞에 나와 부르짖기를 원한다."

하나님께서 한 번에 나를 확 바꾸어주셨다면 얼마나 편하셨겠는가? 그럼에도 불구하고 나의 약한 모습 그대로, 하나님 의지하면서 한발 한발 나아가는 모습을 기다려주신 하나님의 오래 참으심과 그 사랑에 눈물이 났다.

하나님께서는 오늘도 우리를 참아주고 계신다. 하나님의 그 은혜를 누리는 우리는 하나님의 오래 참으심을 우리 삶 속에서 나타내야 한다. 미숙한 누군가를 향해 하나님의 사랑을 품은 자로서 오래 참는 것, 미숙한 나 자신을 기다려주며 인내하는 것, 바로 이것이 우리가 삶 속에서 구현해내야 할 아름다운 열매이다.

그러나 여호와께서 기다리시나니 이는 너희에게 은혜를 베풀려 하심이요 일어나시리니 이는 너희를 긍휼히 여기려 하심이

라 대저 여호와는 정의의 하나님이심이라 그를 기다리는 자마

다 복이 있도다 사 30:18

우리에게 은혜를 베풀기 위해, 우리를 긍휼히 여기시기 위해 정의의 하나님께서 우리를 향해 오래 참으시고 기다리시는 이 은혜가 우리 삶 속에 더욱 풍성히 임하기를 바란다. 이 사랑과 감격을 가지고 우리 역시 다른 사람들을, 우리 자신을 기다려주는 인내의 열매를 맺게 되기를 간절히 바란다.

선한 마음과 선한 행동이 함께할 때
삶의 열매가 나타난다

자녀 교육에 관한 책 중에 《마더쇼크》라는 책이 있다. 그 책에 보면
한국 엄마와 미국 엄마의 차이에 대한 실험이 나오는데, 중학생 자녀
를 둔 한국 엄마 11명, 미국 엄마 11명 모두 22명의 엄마들을 대상으로
카드 게임을 하게 했다. 그리고 그 과정에서 엄마들에게 이익이 났을
때와 손해가 났을 때, 그리고 상대방에게 이익이 났을 때와 손해가 났
을 때, 이 두 가지 사실을 동시에 알게 됐을 때 엄마들이 어떤 반응을
보이는가를 조사하는 실험이었는데, 재미있는 결과가 나왔다.

사람의 뇌 중에는 '보상 뇌' 혹은 '측핵'이라고 알려진 뇌가 있다.
이 뇌는 사람이 즐거운 일을 경험하거나 이익을 얻을 때 활성화된다

고 한다. 그런데 이 실험에서 흥미로운 것은 미국 엄마들은 본인이 점수를 땄을 때 보상 뇌가 강하게 활성화되는 반응을 보인 반면, 한국 엄마들은 본인이 점수를 냈을 때 보상 뇌가 활성화되는 것이 아니라 오로지 상대방보다 더 많은 점수를 냈을 때만 보상 뇌가 강하게 활성화되더라는 것이다.

불행한 나라, 불행한 국민

이것이 무엇을 말하는 것일까? 미국 엄마들은 그냥 '내가 얼마나 잘했나'에 관심이 있다면 한국 엄마들에게는 '내 점수가 상대방에 비해서 얼마나 높은가, 낮은가'가 훨씬 더 중요하다는 것이다. 이 실험을 한 그 책에서 한국 엄마들의 두드러진 교육열과 내 아이와 다른 집 아이를 끊임없이 비교하는 성향이 바로 이런 심리에서 비롯된 것이 아닐까 하는 분석을 내놓았다. 우리나라 엄마들은 자기 아이가 학교 시험에서 100점을 받아 오면 이렇게 묻는다.

"너희 반에 100점 맞은 애가 모두 몇 명이야?"

더 심한 엄마들은 이렇게 말한다.

"네가 100점 맞을 정도면 다른 아이들도 다 100점이겠네!"

항상 이런 식으로 자녀를 다른 아이들과 비교하며 대하는 것이 그 아이에게 교육적으로 얼마나 좋지 않겠냐는 것이다.

그 책을 읽으면서 언젠가 분당우리교회에 강사로 오셨던 손봉호 교수님의 말이 떠올랐다. 최근에 한 연구소에서 세계 각국의 번영지수를 발표했는데, 그중에서 삶의 만족도에 대한 조사 결과가 충격적이다. 조사 대상국 110개국 가운데 한국이 104번째라는 것이다. 손봉호 교수님은 이 조사 결과에 대해서 이렇게 말했다.

"이 말은 대한민국이 지금 세계에서 여섯 번째로 불행한 나라라는 뜻입니다."

우리나라가 경제를 비롯해 많은 분야에서 큰 발전을 이루고 먹고 살기는 좋아졌지만 실상은 불만으로 가득 차 있는 사회라는 것이다. 조사 대상국이었던 110개 국가들 가운데는 네팔, 방글라데시, 파키스탄, 나이지리아, 아프리카의 나라들 등 빈곤 국가들도 포함되어 있었다. 그 나라들이 비록 물질적으로는 우리보다 가난하고 먹고 살기 어려울지 몰라도 그들의 삶의 만족도는 대한민국보다 훨씬 더 높다는 것이다. 참으로 충격적인 결과가 아닐 수 없다.

그렇다면 한국은 왜 그렇게 불행한가? 왜 그렇게 행복지수가 낮은가? 손봉호 교수님은 두 가지로 분석했다. 하나는 한국사회에 만연한 부정직, 곧 낮은 도덕지수 때문이고 또 하나는 극심한 경쟁심 때문이라는 것이다.

믿지 못하는 사회는 불행하다

국제 투명성 기구의 발표 결과 2011년도 한국의 투명성 지수는 세계 43위라고 한다. 그리고 한 연구소에서 "다른 사람을 믿을 수 있느냐"는 질문에 한국인의 26퍼센트만이 "그렇다"고 대답했다고 한다.

그만큼 우리나라 사람들은 서로를 신뢰할 수 없다는 이야기이다.

언젠가 우연히 본 텔레비전 프로그램에서 식당이 얼마나 정직하게 장사를 하는지 몰래카메라로 촬영을 했는데, 그 결과가 정말 실망스러웠다. 물론 정직하게 장사하는 식당도 많다. 그러나 많은 식당들이 고기를 팔면서 제시된 무게대로 정직하게 팔지 않고 속여서 파는 것이 드러났다. 작게는 몇 백 그램씩, 많게는 3분의 1 가까이를 속여서 팔았다. 예를 들어, 고기 4인분을 시키면 3인분밖에 안 나오는 식이다.

교인들 가운데도 식당을 운영하는 분들이 많다. 우리가 새벽예배 나가고 하나님께 큰 소리로 부르짖으며 기도하는 것도 정말 중요하다. 그러나 더 중요한 것은 정직하게 장사하는 것이다. 우리의 삶 속에서 정직하게 행동하는 것, 식당을 운영한다면 정직하게 장사하는 것, 그것이 바로 신앙생활이기 때문이다.

이렇듯 부정직이 만연하다 보니 식당에 가서 음식을 먹거나 뭔가를 사더라도 '이거 내가 속고 있는 것 아닌가?' 하는 의심부터 드는 것이 현실이다. 불신이 쌓이고 쌓여서 아무리 전문가가 나와서 이야기를 해도 일단 의심부터 한다. 정부 발표도 곧이곧대로 믿지 않는 것이 현실이다. 그러니 우리가 어떻게 행복하겠느냐는 말이다.

극심한 경쟁심에 병들고 있다

그런가 하면 우리나라가 불행한 두 번째 이유는 극심한 경쟁심 때문이라고 한다. 앞에서 언급했던 것처럼 한국 엄마들의 경쟁심 가득

한 자녀교육으로는 우리 아이들을 불행으로 이끌 수밖에 없는 구조이다. 손봉호 교수님의 표현을 빌리자면 뭐든지 경쟁하려고 달려들고 어떻게 해서든 1등을 해야만 직성이 풀리는 이런 사회구조 속에서는 1등 한 명 빼놓고는 모두가 다 불행하다. 그런데 그 1등인들 행복하겠는가? 언제 그 자리를 빼앗길지 모르는 불안 속에서 행복은커녕 얼마나 초조하겠는가? 가끔씩은 우리 어른들이 아이들한테 참 못할 짓을 하고 있다는 생각이 들기도 한다.

내가 청소년 사역을 할 때 고등학교 3학년 입시생 부서를 맡은 적이 있다. 고등학교 3학년 아이들이 얼마나 살벌한가? 첫 번째 중간고사를 앞두고 있던 때였는데, 여학생 한 명이 교회에 와서 나를 보자마자 눈물을 펑펑 흘리는 것이 아닌가? 깜짝 놀라서 무슨 일이냐고 묻자 중간고사를 코앞에 두고 있는데 누가 자기 노트를 훔쳐갔다는 것이다. 이것도 기가 막히는 일이지만, 더 기가 막힌 것은 그런 일이 고등학교 3학년 교실에서 빈번하게 일어나고 있다는 것이다.

그 이야기를 들으면서 이 나라가 아직도 망하지 않고 있는 것은 전적으로 하나님의 은혜라는 생각이 들었다. 아직 어린 아이들이 벌써부터 '나만 앞서 나가면 된다, 내 친구가 잘되면 나는 망한다'는 생각으로 친구의 노트를 훔치면서까지 경쟁구도 속에 매몰되어 있는지 눈앞이 캄캄해졌다. 이런 교육구조 속에서 아이들이 자라간다면 이 나라에 무슨 소망이 있겠는가?

대결 구도가 아닌 축복의 관계

이런 현실이 오늘날 우리 사회의 가슴 아픈 자화상이다. 세상은 끊임없이 우리를 향해 "다른 사람을 믿지 마라, 모든 사람은 다 네 적이다, 저 사람을 밟아야 네가 올라설 수 있다"고 충동질하면서 끊임없는 경쟁구도 속으로 몰고 간다. 그러나 우리 주님은 "이웃과 더불어 살아가야 한다, 함께 손잡고 나아가야 한다, 사람을 불신하면 안 된다, 적으로 여기지 말라"라고 말씀하신다. 당신은 이 두 가지 목소리 중에 어느 것에 더 영향을 받으며 살아가고 있는가?

이런 생각들을 하는 가운데 문득 교회 개척 초기의 내 모습이 떠올랐다. 그때는 지금처럼 교회가 성장할 것이라는 생각은 꿈에도 못하던 때였다. 그 무렵 참 절박하게 기도했던 기도제목이 하나 있었는데, 길을 가다가 눈에 띄는 교회만 있으면 이렇게 기도했다.

"하나님, 저는 저 교회에 대해서 아무것도 모르지만, 제가 우리 교회를 위해서 간절히 기도하는 것과 똑같은 마음으로 기도합니다. 저 교회에 하나님의 은혜가 넘치게 하여주옵소서. 저 교회에도 부흥을 허락하여주옵소서!"

그렇게 거리를 다니다가 눈에 띄는 교회만 있으면 그 교회의 이름을 불러가며 기도했다. 아마도 내가 개척한 교회가 성장하기를 바라는 마음이 간절한 때이다 보니 이웃 교회를 향해서도 동병상련의 아픔과 부담을 느낀 것 같다. 그런데 가슴 아픈 것은, 10여 년이 지난 지금 그 기도를 언제부터 안 하게 되었는지 생각조차 나지 않는다는 것이다. 교회가 어느 정도 자리가 잡히고 그때처럼 절박하게 부르짖지 않아도 될 만큼 성도들이 모이다 보니 어느새 내 마음이 무뎌진 것이다. 이 사실을 떠올리고 주님 앞에 얼마나 부끄러웠는지 모른다. 어느새 내 마음이 우리 교회 하나만 잘되기를 바라는 이기적인 태도로 물들어 있는 것은 아닌지 두려운 마음이 몰려오면서 나 자신의 모습을 돌아보게 되었다.

다른 교회 혹은 다른 사람이 부흥하고 잘되는 것에 긴장하고 견제하는 대결구도가 아니라 서로를 축복하고 서로가 잘되기를 바라는 것이 성령의 열매를 추구하는 우리가 가져야 할 마땅한 자세가 아니겠는가? 그런 관점에서 우리는 '자비와 양선'이라는 성령의 열매를 좀 더 심도 깊게 살펴봐야 한다.

자비와 양선은 함께일 때 완전하다

성령의 아홉 가지 열매 중 다섯 번째 열매인 '자비'는 헬라어로 '크레스토테스'라는 단어이다. 이 단어는 원래 '유용함', '적절함'이라는 뜻을 가지고 있는데, 고대 헬라 저술을 보면 두 가지 용례로 쓰인다. 이 단어가 물건과 함께 쓰일 때는 '탁월함'이라는 뜻으로, 사람의 성품을 설명할 때는 '선함, 순전함, 친절'의 의미로 쓰였다. 그래서 구약의 히브리어를 헬라어로 번역한 70인역 성경에서는 이 단어를 '선함'이라는 뜻으로 번역해놓았다.

이 모든 것을 종합해 보면 성령의 다섯 번째 열매인 '자비'는 한마디로 '친절한 성품' 혹은 '다른 사람에게 기꺼이 봉사하고자 하는 선한 마음' 정도로 의역해서 설명할 수 있다.

그런가 하면 성령의 여섯 번째 열매인 '양선'의 원어는 '아가도수네'라는 단어이다. '아가도수네'는 자비라는 뜻의 '크레스토테스'보다 더 능동적인 의미를 가지고 있다. 직역하면 '선한 행동'으로 번역할 수 있다. 다시 말해서, '자비'가 마음의 상태를 나타낸다면 '양선'은 그 자비가 행동으로 표출되는 것을 설명하는 단어이다.

이런 맥락에서 자비와 양선은 긴밀하게 연결되어 있다. 양선이 빠진 자비도 곤란하고, 자비가 없는 양선도 온전하지 않기 때문이다.

양선이 빠진 자비는 무기력하다

그러면 자비만 있고 양선이 없다면 어떤 문제가 생길까? 마음에 선한 동기만 있고 행함으로 연결되지 못하는 머리만 커진 무기력한 그리스도인이 될 위험이 크다는데 문제가 있다.

언젠가 안철수 교수가 어느 강연회에서 이런 예화를 사용한 적이 있다. 우리나라가 식민지 상태에 있을 때 나라를 걱정하는 마음이 매우 컸던 한 사람이 있었다고 한다. 그는 나라의 비참한 현실에 대해 몹시 비통한 심정과 울분을 품고 있었다. 그러나 그때는 시대적으로 독립에 대해 이야기만 해도 잡혀가 고문을 당하는 살벌한 시대였기 때문에 어떤 행동도 하지 못한 채 밤마다 방에 들어가 이불을 뒤집어쓰고 '대한독립 만세'를 외쳤다고 한다.

시간이 흘러 하나님의 은혜로 이 나라가 해방의 기쁨을 맛보게 되자 이 사람이 어떻게 했는지 아는가? 기쁨에 겨워 관공서로 뛰어간 이 사람이 자기도 밤마다 방에서 이불 뒤집어쓰고 '대한독립 만세'를 외쳤기 때문에 자기도 독립투사의 반열에 들어가야 한다고 주장했다고 한다. 안철수 교수는 결론적으로 이런 말을 했다.

"독립운동을 행농으로 옮기지 않고 이불 속에서 혼자 만세를 부르는 것을 독립투사라 말할 수 없습니다."

당연한 이야기다. 그 이야기를 들으면서 이것이 영적으로도 그대로 적용할 수 있다는 생각이 들었다. 갈라디아서 5장에 나오는 '자비'와 '양선'을 가지고 설명하자면, 선행에 관한 마음의 동기인 자비만 내 마음에 있고 그것이 행동으로 나타나는 양선이 없으면 그것은 이불 속에서 '대한독립 만세'를 외친 사람과 똑같다는 것이다. 입만 살아 있는 무기력한 그리스도인이다. 존 웨슬리는 이런 사람들을 '명목상의 그리스도인'(almost christian)이라고 칭했다.

야고보서에 이런 말씀이 있다.

> 내 형제들아 만일 사람이 믿음이 있노라 하고 행함이 없으면 무슨 유익이 있으리요 그 믿음이 능히 자기를 구원하겠느냐 … 이와 같이 행함이 없는 믿음은 그 자체가 죽은 것이라 약 2:14,17

이 말씀은 물론 "행함이 없으면 지옥에 간다"와 같은 극단적인 것을 뜻하는 말씀이 아니다. 그러나 이불 덮어쓰고 '대한독립 만세'를 외치는 것과 같은 무기력한 그리스도인의 모습을 단적으로 보여주는 말씀이다. 우리의 모습은 어떤가? 자기 자신을 정직하게 돌아봐야 한다.

우리 모두 이불 덮어쓰고 '대한독립 만세'를 외쳤던 어리석은 사람은 되지 말아야 한다. 예배를 통해 물론 감동도 받아야 하고 은혜도 받아야 하지만, 그것이 전부가 아니다. 우리는 하나님 앞에 결단하기 위해 예배를 드려야 한다. 예배를 통해 받은 감동을 삶에서 드러내야 한다. 더 이상 이불 덮어쓰고 "주의 영광 주의 영광" 외치는 것이 아니라 내 안에 자비가 있으면 그것이 양선으로, 선한 행동으로 연결되어야 한다.

자비 없는 양선은 시끄럽기만 하다

반대로 양선은 있는데 자비가 없을 때는 어떤 문제가 일어나는가? 바로 이 부분을 설명하는 말씀이 고린도전서 13장 1절이다.

> 내가 사람의 방언과 천사의 말을 할지라도 사랑이 없으면 소리
> 나는 구리와 울리는 꽹과리가 되고 고전 13:1

아무리 선한 행위를 할지라도 그 안에 사랑이 없으면 그저 소리 나는 구리와 울리는 꽹과리에 불과하다. 우리가 하는 선한 행위가 하나님나라에서는 "얘, 얘! 시끄럽다. 소음이다, 소음이야!" 하는 반응을

일으킬 수도 있다는 것이다. 그렇게 되면 우리의 섬김이 얼마나 허무하겠는가? 그렇기 때문에 우리의 섬김 안에는 자비, 곧 선한 마음의 동기가 함께해야 한다. 그럴 때 우리의 섬김과 봉사가 허망한 봉사로 끝나지 않는다.

최근 자비가 빠진 선행이 얼마가 의미없는가를 체감하게 된 사건이 하나 있었는데, 어느 돌잔치에서 있었던 일이다. 한 30분 정도 식사를 하고 났더니 직원 한 명이 나와서 "여러분! 맛있게 드셨습니까? 이제 잠깐 축하 순서를 갖겠습니다"라고 하면서 돌잡이 행사를 진행하기 시작했다. 그 직원이 진행하는 것을 보니 얼마나 매끄럽게 잘하는지 모른다. 꼭 청산유수 같다. 그런데 한참 보다 보니 뭔가 아쉬웠다.

그러다 발견한 것이, 그 사람은 자신에게 맡겨진 진행은 정말 매끄럽게 실수 하나 없이 잘해내고 있었지만 정작 축하받아야 할 주인공인 아이한테는 눈길 한 번 안 준다는 것이었다. 그 아이에 대한 사랑이나 관심 없이 그저 기계적으로 진행하고 있었다. 그 모습이 내 눈에는 그저 돈 벌기 위해 일하는 것처럼 밖에는 보이지 않았다.

나는 네 마음을 원한다

그 모습을 보면서 '혹시 내 목회가 저러지는 않을까? 누가 봐도 흠 잡을 것 하나 없이 깔끔하게 일 처리하는 데 급급하여 그 중심에 사랑이 빠져 있는 것은 아닐까?' 하는 걱정이 들기 시작했다. 아무리 설교를 열심히 준비해서 성도들이 보기에 흠 잡을 것 없이 설교했다 하더라도 그 안에 하나님의 사랑과 자비가 담겨 있지 않다면, 상담을 원하는 성도에게 온갖 좋은 말, 유익한 말로 아무리 상담을 잘해주었다 해도 그 안에서 성도를 향한 진정한 사랑을 느낄 수 없다면 이 모든 것은 다 울리는 꽹과리와 같을 것이다. 하나님나라에서는 시끄러운 소음에 불과하다는 것이다.

그렇게 돌잔치가 있던 짧은 시간에 여러 생각에 빠져 있는데, 성령님이 마음에 이렇게 말씀하시는 것 같았다.

"나는 네 마음을 원한다. 나는 네 마음을 원한다."

나는 교회에서 임직식이 있을 때마다 헌금을 강조한다. 하나님의 은혜를 은혜로 알고 감사해야 한다. 그러나 교회에서 액수는 정해주지 않는다. 혹시 경제적으로 어려운 사람이 있다면 만 원만, 그것도 어렵다면 천 원만 해도 된다. 단, 그 헌금 안에 자격 없는 자를 향해 은혜를 베푸신 하나님에 대한 진실한 마음이 담겨 있어야 한다. 그 마음을 담아서 정성껏 드린다면 받는 임직에 대한 손색없는 헌금이라고 믿는다. 왜 그런가? 우리 주님은 마음을 원하시기 때문이다.

하나님을 가난뱅이, 거지 취급하는 것은 악한 일이다. 하나님께서는 우리가 적선하듯 던져주는 헌금 몇 푼이 아쉬운 분이 결코 아니시다. 이미 부유한 분이시다. 모든 것을 다 가진 분이시다. 그 하나님께서 우리에게 헌금을 원하실 때는 "난 네 마음을 원한다. 네 땀의 결정체, 네 눈물의 결정체, 네가 소중히 여기는 그 헌금을 받음으로 너의 마음을 받기 원한다"라고 하시는 것이다. 우리는 이런 영적인 차원에서 헌금을 바라봐야 한다. 하나님이 원하시는 그 마음, 그것이 바로 자비이다.

이토록 자비와 양선의 균형이 중요한데, 우리가 이 둘의 조화를 이루는 삶을 살기 위해서는 다음의 두 가지 사실을 반드시 기억해야 한다.

하나님의 긍휼의 마음이 기초이다

첫째, 자비와 양선의 기초에는 하나님의 마음, 곧 긍휼이 반드시 포함되어야 한다. 성경에서 '자비'와 '긍휼'이라는 단어가 같은 의미로 쓰이는 것을 종종 볼 수 있다. 특히 누가복음에 보면 이 두 단어가 혼용되는 것을 볼 수 있다. 누가복음 1장 50절에 보면 이런 말씀이 있다.

긍휼하심이 두려워하는 자에게 대대로 이르는도다 눅 1:50

여기서 사용된 '긍휼'이라는 단어는 원어로 '엘레오스'이다. '엘레오스'는 누가복음 1장에만 모두 다섯 번 등장하는데, 이 다섯 번 모두 한글성경은 '긍휼'이라고 번역했다. 그런데 똑같은 단어를 누가복음 10장 37절에서는 '자비'로 번역한다.

이르되 자비를 베푼 자니이다 예수께서 이르시되 가서 너도 이와 같이 하라 하시니라 눅 10:37

여기 나오는 자비 역시 '엘레오스'라는 단어이다. 이것을 보면서 우리가 깨달을 수 있는 것은, 성령의 열매 중 하나인 '자비'는 그 내면에 '하나님의 긍휼'을 재료로 하여 만들어진 열매라는 것이다. 따라서 우리는 우리 내면에 이 긍휼, 곧 하나님의 마음이 있는지 돌아봐야 한다.

자비와 양선을 이루기 위해 인내가 필요하다

둘째, 자비와 양선의 균형을 이루기 위해서는 '오래 참음'이라는 성령의 열매가 필요하다.

갈라디아서 5장 22절에 나오는 성령의 열매의 순서를 유의하여 보라. 가장 먼저 사랑이 나오고 이어서 희락, 화평, 오래 참음이 언급되며 그 다음에 나오는 것이 자비와 양선이다. 어느 주석에 보니, 이 순서에 대해 설명하기를 '자비'라는 성령의 열매는 그 앞에 나오는 '오래 참음'과 그 뒤에 나오는 '양선' 사이를 연결하는 다리 역할을 한다고 되어 있었다. 무슨 뜻인가? 내 안에 하나님의 긍휼하심을 바탕으로 한 자비가 있으면 '오래 참음'이라는 덕목을 꺼내어 사용해야 하고, 이 오래 참음으로 내 안에 자비가 형성될 때 그것이 삶 속의 행동, 곧 양선으로 연결되어야 한다는 뜻이다.

이런 맥락에서 자비를 베푼다는 것은 참아주는 것이다. 이것은 사람을 향해서도 물론이지만 사회를 향해서도 마찬가지다. 우리나라가 이것도 문제고 저것도 문제고 다 문제라고 하지만 우리에게는 오래 참음의 눈으로 이 나라와 사회를 바라보는 것과 하나님께서 좋은 방향으로 이끌고 계시다는 믿음이 필요하다.

사실 내가 어렸을 때는 우리 사회가 지금과는 비교도 안 될 만큼 훨씬 더 미숙했다. 아침에 장애인이 식당에 들어서면 주인이 막 욕을 하면서 쫓아내는 일이 다반사였다. 장애인 비하도 그런 비하가 없을 것이다. 그런데 지금은 어떤가? 장애인을 대하는 한국인의 태도가 얼마나 달라졌는가? 물론 아직도 미숙한 부분이 있고 더 성숙해져야 할 부분이 있는 것은 사실이지만, 과거에 비하면 분명히 성숙해지고 있고 발전하고 있는 단계이다.

우리나라의 투명지수, 도덕지수가 아무리 낮다고 해도 그조차도 2,30년 전에 비하면 많이 좋아진 것이다. 정치 역시 마찬가지다. 내가 대학 다니던 때는 학교에 학생 반, 사복경찰 반이었다. 무슨 말만 해도 잡혀가기 일쑤였고, 많은 대학생들이 손에 돌멩이라도 들고 당장이라도 뛰쳐나갈 태세로 울분으로 가득 찬 대학시절을 보냈다. 그러다가 1983년에 미국으로 이민을 가게 됐는데, 그때를 지금도 잊을 수가 없다. 학교 수업시간에 미국 교수가 수업을 하는데, 당시 미국 대통령이었던 레이건 대통령의 욕을 그렇게 하는 것이다. 그 말을 듣는데 내 등골이 오싹해졌다. 누가 잡으러 오는 것은 아닌가 하고 자꾸 뒤를 돌아다보며 말이다.

그런데 지금은 한국의 정치도 대통령이 개그 프로그램의 소재로 등장할 만큼 많이 유연해지고 발전한 시대에 살고 있지 않은가? 아직 갈 길이 멀다 해도 옛날에 비하면 많이 발전한 것이다. 그래서 우리나라가 여전히 문제가 많고 불합리한 것들이 많아 보이겠지만, 인내하면서 믿음을 가지고 기도하며 기다려주는 자세가 필요한 것이다.

오늘날 우리 사회에는 자비, 그 안에 담긴 하나님의 긍휼이 필요하다. 또한 하나님의 긍휼이 있기 위해서는 오래 참음이 필요하다.

인내하며 용납하라, 힘을 다해 베풀라

교회에 대해 막말을 하는 사람들에 대해서도 마찬가지다. 요즘은 그 어느 때보다 교회와 기독교를 향한 반감이 심한 때이다. 물론 교회가 잘못한 것에 대해 비판의 목소리를 높이는 사람들도 있지만, 아무런 근거 없이 교회를 비난하고 적대시하는 사람들도 많은 것이 현실이다. 그런 사람들을 볼 때마다 교회는 그런 사람들에 대해 어떻게 대하는 것이 옳은가에 대한 고민을 하게 된다.

그들이 미숙하고 오해하여 막말을 했다고 해서 교회가 그들과 대결 구도로 가는 것이 옳은가? 계속해서 교회에 적대감을 품고 칼을 갈도록 내버려두는 것이 과연 성경적인가? 그렇지 않을 것이다. 그들도 품어야 하지 않겠는가? 물론 잘못한 것에 대해서는 회개하고 사과하는 것이 필요하겠지만, 교회가 독을 품고 윽박지른다고 해서 그 사람이 회개하지는 않는다.

교회가 그들의 소리에 귀를 기울일 부분은 없는지 겸손하게 돌아보고 그런 사람들조차 교회 안으로 이끌어서 품어주고 사랑으로 용납해주어서 결국 회개에 이르도록 마음을 열게 하는 것이 진정한 교회의 모습 아니겠는가? 지금처럼 교회가 계속해서 대결 구도로 나간다면 결국 어떻게 되겠는가?

얼마 전 트위터에서 내 마음을 울리는 글을 하나 보게 되었다.

"어둠의 핵심적인 힘은 미움이다."

정말 명언이다. 한국 교회 타락했다, 무능하다, 목사가 여자 밝힌다, 돈 밝힌다 하면서 별의별 비판거리들이 나오지만, 교회의 가장 위험한 타락은 교회 안에 존재하는 미움이다. 그래서 어떻게 해야 하는가? 세상의 악한 세력이 증오와 분노와 미움으로 우리를 공격할 때 우리는 성령의 열매로 방어할 수 있다는 사실을 기억해야 한다. 무엇보다 중요한 것은 우리가 성령님을 의지할 때 우리 안의 오래 참고 자비와 긍휼을 가지고 양선을 베푸는 넓은 마음이 점점 확장된다는 것이다. 그렇게 내가 먼저 오래 참음으로 용서하고 품고 사랑할 때 내가 손해를 보는 것 같지만 내 안에 성령님이 주시는 진정한 기쁨이 용솟음치는 것을 경험하는 것이 신앙생활이라는 것이다.

사도 바울은 로마서에서 이렇게 권면했다.

> 믿음이 강한 우리는 마땅히 믿음이 약한 자의 약점을 담당하고 자기를 기쁘게 하지 아니할 것이라 우리 각 사람이 이웃을 기쁘게 하되 선을 이루고 덕을 세우도록 할지니라 롬 15:1,2

우리 모두 약한 자의 약점을 담당하고 내가 아닌 이웃을 기쁘게 하는 자들이 되어야 할 것이다. 우리 안에 있는 모든 미움이 사라지고 성령님을 의지함으로 성령의 열매를 맺고, 용납과 용서와 관용과 사랑이 우리 안에 넘쳐나는 복된 신앙인들이 다 되기를 간절히 바란다.

자비와 양선은 우리를 향하신 하나님의 마음이다

우리가 자비와 양선을 온전히 이루어야 하는 것은, 자비와 양선이라는 덕목이 우리를 향하신 하나님의 근본 성품이기도 하기 때문이다. 이것을 염두에 두고 성경을 보다 보니, 구약 특히 시편에 이런 표현이 많이 나오는 것을 발견하게 되었다.

여호와께 감사하라 그는 선하시며 그 인자하심이 영원함이로다

또 이 말씀과 비슷한 표현으로 이런 표현도 있다.

너희는 여호와의 선하심을 맛보아 알지어다 그에게 피하는 자
는 복이 있도다 시 34:8

그래서 조직신학자인 정성욱 교수는 《스피드 조직신학》이라는 그의 저서에서 이렇게 말했다.

"성경은 이 세상을 창조하시고 다스리시는 절대 주권자 하나님이 선하신 분이라고 가르치고 있습니다. 하나님의 성품에 대하여 성경이

가장 근본적으로 강조하는 것은 바로 하나님의 선하심입니다."

전적으로 동감하는 의견이다. 그렇기 때문에 우리는 늘 하나님의 선하심을 구해야 한다. 시편 27편에는 이런 말씀이 있다.

> 내가 산 자들의 땅에서 여호와의 선하심을 보게 될 줄 확실히 믿었도다 너는 여호와를 기다릴지어다 강하고 담대하며 여호와를 기다릴지어다 시 27:13,14

이 부분을 표준새번역 성경은 이렇게 번역한다.

> 이 세상에 머무는 내 한 생애에, 내가 주님의 은덕을 입을 것을 나는 믿는다. 주님을 기다려라. 강하고 담대하여라. 주님을 기다려라.

이것이 얼마나 중요한 믿음인가? 내가 죽어서 천국 갈 때 하나님의 선하심을 경험하는 것도 매우 중요하지만, 그보다 앞서서 내가 산 자들의 땅에 머물 때, 곧 내가 세상에 머무는 내 생에 가운데 하나님의 선하심을 경험하는 것을 믿는다는 것이다. 그 믿음을 선포하는 것이다. 우리가 이 땅을 살아가면서 바로 그 하나님의 선하심을 누려야 한다는 것이다.

어느 책에 참 재미있는 표현이 있었다. 시편 27편 말씀을 묵상하는 글이었는데, 저자는 〈개구쟁이 데니스〉라는 만화를 인용하여 이런 글을 썼다.

> 〈개구쟁이 데니스〉라는 만화에 보면, 윌슨 부인의 집에서, 데니스와 그 친구들이 양손에 쿠키를 들고 나오는 장면이 있습니다. 데니스의 친구는 자기가 쿠키를 받을 만한 일을 한 적이 있는가 의아해합니다. 그때, 데니스가 설명을 해줍니다.
> "윌슨 부인은 우리가 착하기 때문에 쿠키를 주신 것이 아니야. 윌슨 부인이 착하셔서 주신 것이지."
> 이 이야기를 우리에게 적용해 본다면, 하나님께서 우리를 축복하시는 것은 우리가 선하기 때문이 아니라, 하나님께서 선하시기 때문입니다. 이것을 이해하면 우리의 의로움과 믿음에 의존하는 대신, 하나님 앞에서 자신감과 믿음을 가질 수 있게 됩니다.

이 글을 보면서 나는 데니스의 그 한 마디가 신앙생활하는 우리 모두의 독백이어야 한다는 생각을 했다. 그 만화의 표현대로라면 이럴 것이다.

"하나님께서 우리에게 구원을 주신 것은 우리가 착하기 때문이 아니야. 하나님께서 착하셔서 주신 것이지."

이것이 바로 우리 모두가 고백해야 할 그분의 성품 아니겠는가? 우리가 받은 구원의 바탕에는 자격 없는 우리를 사랑하시는 그분의 선하심이 담겨 있는 것이다. 그래서 이 땅을 살아가는 동안 우리가 그 하나님의 선하심을 날마다 맛볼 수 있도록, 날마다 더 경험할 수 있도록 붙잡는 것이 바로 신앙행위라는 것이다.

삶으로 선하심의 열매를 나타내라

그리고 또 하나 기억해야 할 것은 우리가 선하신 하나님 안에 거하고 있다면 그 선하심의 증거가 삶으로 흘러나와야 한다는 것이다. 요한복음 15장 5절 말씀을 보자.

> 나는 포도나무요 너희는 가지라 그가 내 안에, 내가 그 안에 거하면 사람이 열매를 많이 맺나니 나를 떠나서는 너희가 아무것도 할 수 없음이라 요 15:5

우리가 하나님 손에 붙들려 산다는 것을 어떻게 증명할 수 있다고 하는가? 목사라는 내가 하나님 손에 붙들린 하나님의 종인지 아니면 사기꾼 같은 삯꾼 목사인지 어떻게 알고 어떻게 신뢰하겠는가? 이 말씀에 따르면, 우리가 하나님 안에 거하면 열매를 맺는다고 한다. 따라서 내가 정말 하나님 손에 붙들린 사람인지는 열매를 맺는 것을 보면 알 수 있다.

다시 말해서, 우리가 정말 하나님 안에 거한다면 우리 안에서 하나님의 성품인 선하심의 열매가 흘러나와야 한다. 우리 안에서 자비와 양선이 나와야 한다. 당신은 당신의 삶에서 이 선함을 나타내고 있는가?

하나님께서 이 선한 마음을 얼마나 중요하게 생각하시는지 씨 뿌리는 비유를 보면 알 수 있다.

> 좋은 땅에 있다는 것은 착하고 좋은 마음으로 말씀을 듣고 지키
> 어 인내로 결실하는 자니라 눅 8:15

주님은 좋은 땅에 있다는 것은 '착하고 좋은 마음'으로 말씀을 듣고 지켜 인내로 결실하는 자라고 분명히 말씀하신다. 그만큼 착하고 좋은 마음이 중요하다는 것이다.

가끔씩 결혼을 안 한 젊은 형제자매들이 내게 상담을 해오며 자신의 남자친구 혹은 여자친구가 예수님을 안 믿는 사람인데 내가 이 사람과 결혼을 해도 되겠느냐고 물어올 때가 있다. 그때마다 나는 두 가지 이야기를 해준다.

하나는 그 길이 험난하다는 것이다. 신앙이 다르다는 것은 피차간에 굉장한 고통과 아픔을 초래한다. 그 고통을 과연 견딜 수 있겠는가 하는 이야기다. 그리고 또 하나는 것은 그렇다 하더라도 개인적으로 나는 이 결혼을 반대하지는 않겠다는 것이다. 내가 왜 불신결혼을 반대하지 못하는가는, 우리 교회에서만 봐도 예수 안 믿는 형제 혹은 자매들이 믿음의 형제, 자매를 만나서 결혼한 후에 그 안에 믿음이 들어

가 그 신앙이 정말 귀하게 성장하는 경우를 많이 봤기 때문이다.

우리 교회 성도 중에 유명한 영화감독이 한 분 계신다. 이분은 원래 예수님을 안 믿는 분이었는데, 정말 신실한 크리스천 자매를 만나 결혼을 하고 세례까지 받게 되었다. 지금도 얼마나 아름답게 신앙이 자라고 있는지 모른다. 이분이 나에게 이메일을 보내어 고백하기를 자신은 원래 예수 믿는 사람을 싫어했던 사람이었다고 한다. 그런 그에게 믿음 좋은 배우자 덕분에 믿음이 심긴 것이다. 가끔씩 예배 시간에 그 분이 예배드리는 모습을 볼 때가 있는데, 그때마다 어김없이 눈물을 흘리며 예배드리고 있다. 이런 일을 목격하다 보니 "불신 결혼은 절대 안 돼"라는 말을 못하는 것이다.

착하고 충성된 종아!

그런데 꼭 알아야 할 것이 있다. 그렇게 예수님을 믿지 않다가 믿음의 배우자를 만나서 신앙을 갖게 되는 사람들의 공통점이 뭔지 아는가? 선한 마음을 가졌다는 것이다. 결혼하기 전에도 만나 보면 비록 신앙은 없지만 선한 성품을 가지고 있다는 것이 보인다. 선한 마음을 갖는다는 것이 영적으로 얼마나 중요한지 모른다. 마태복음에 보면 달란트 비유에 이런 말씀이 나온다.

> 그 주인이 이르되 잘하였도다 착하고 충성된 종아 네가 적은 일
> 에 충성하였으매 내가 많은 것을 네게 맡기리니 마 25:21

다섯 달란트 받은 사람과 두 달란트 받은 사람에게 공통적으로 주시는 주님의 격려가 무엇인가?

"착하고 충성된 종아!"

또 반대로 한 달란트 받은 사람을 향해 주님은 "악하고 게으른 종아"(마 25:26)라고 책망하신다.

그냥 충성스러운 것이 아니다. 착하고 충성스러운 것이다. 그냥 게으른 것이 아니다. 악하고 게으른 종을 향해 주님은 책망하셨다. 이런 맥락에서 본다면 오늘날 우리 크리스천들이 너무 사나운 건 아닌가 싶은 우려가 든다. 충성되기는 하는데 너무 날카롭다. 옳은 이야기를 하는데 혈기를 동반한다. 교회에 충성하는 사람들을 가만히 보면 상당히 많은 사람들이 울분과 혈기를 가지고 있는 모습을 볼 수 있다. 그래서 충성은 하지만 착한 마음을 갖는 부분에서 문제를 보이는 것이다. 당신은 하나님 앞에 충성스러운 종인가? 그렇다면 선한 마음을 갖기 바란다. 부드러운 마음을 가져야 한다.

로마서 12장 21절은 "악에게 지지 말고 선으로 악을 이기라"라고 말한다. 결코 "악에게 지지 말고 악으로 악을 이기라"라고 말하지 않는다. 선으로 악을 이겨야 한다. 그래서 인내가 필요한 것이다.

착한 행실로 하나님께 영광을 돌려라

그렇다면 하나님께서는 왜 선하심이라는 그분의 성품이 자녀인 우리에게 전수되기를 원하시는가? 이 질문에 대해서는 주님이 친히 대답해주셨다.

> 이같이 너희 빛이 사람 앞에 비치게 하여 그들로 너희 착한 행
> 실을 보고 하늘에 계신 너희 아버지께 영광을 돌리게 하라
>
> 마 5:16

주님은 우리의 착한 행실을 통해 하늘에 계신 하나님 아버지께 영
광을 돌리기를 원하신다. 그래서 필립 케네슨(Philip D. Kenneson)의
《열매 맺다》라는 책에 보면 이런 대목이 나온다.

"하나님의 선하심을 반영하는 우리의 능력은 하나님에게서 오는
것이고 또한 타인을 하나님께 인도하는 통로가 된다."

이 사실을 꼭 기억해야 한다. 선하심은 내 것이 아니다. 하나님으로
부터 오는 하나님의 성품이다. 그리고 그 선하심의 성품이 타인을 하
나님께로 인도하는 통로가 되기 때문에 중요한 것이다.

최근에 이 사실이 증명된 사건을 경험했다. 얼마 전에 분당우리교
회와 어느 병원이 연결이 되었는데, 그 병원에서 놀라운 제안을 해왔
다. 우리 교회에서 후원하고 있는 농어촌 목회자 중에서 135쌍의 부
부, 우리 교회가 후원하고 있는 선교사님들 중에 현재 한국에 와 있거
나 방문 중인 선교사 부부 70쌍에게 무료로 건강검진을 해주겠다는
것이었다. 이 사람들을 모두 합하면 400명이 넘는 숫자인데 이 많은
인원에게 무료로 건강검진을 해주겠다니, 정말 엄청난 제안이었다.

더군다나 건강검진을 하다가 발생하는 본인부담금과 숙박이 필요한 경우 숙식까지 모두 제공하겠다는 것이다. 이런 고마운 병원이 어디 있겠는가?

더 놀라운 것은 그 병원의 병원장이 크리스천이 아니라는 것이다. 그런데 어떻게 이런 놀라운 일이 가능했는가? 그 병원의 예수 믿는 원목의 평생 꿈이 이것이었다고 한다. 선교사님들이나 가난한 목회자들에게 의료 혜택을 제공하는 것 말이다. 그래서 병원장을 지속적으로 설득했던 모양이다. 정확히는 모르겠지만 아마도 처음에는 몇 분에게 혜택을 드리는 정도의 작은 규모로 시작했다가 하나님의 선하심이 그 병원으로 흘러들어감으로써 그 일을 통해 그 병원이 점점 복을 받는 것을 목도하게 된 것이다. 그러다 보니 교회를 안 다니는 병원장에게도 이 일이 기쁨이 되고 즐겁기 시작한 것이다. 그래서 이번에는 병원장이 오히려 나서서 이런 일을 시작했다는 것이다.

바로 이것이 마태복음 5장 16절에 주님이 말씀하신 "그들로 너희 착한 행실을 보고 하나님께 영광을 돌리게 하라"는 명령이 구현된 모습이다. 나는 정말로 우리 크리스천들이 가정과 학교에서, 직장과 사업장에서, 예수님을 알지 못하는 친정에서, 시댁에서 우리의 착한 행실을 보고 하나님께 영광 돌리는 일이 일어나기를 간절히 바란다.

선을 흘려보내지 못한 것을 회개하라

우리 삶에서 자비와 양선을 실천하고 구현하는 것이 이토록 중요한

데, 이것을 온전히 이루기 위해 우리가 먼저 돌아보고 실천해야 할 것이 있다.

첫째는 회개해야 한다는 것이다. 무엇을 회개해야 하는가? 우리가 선하게 살지 못한 것, 자비의 마음을 품지 못하고 양선의 손을 내밀지 못한 것을 회개해야 한다. 겉으로만 선한 크리스천의 모습이고 실상은 그렇지 못했던 것을 회개해야 한다.

롭 벨(Rob Bell) 목사가 《네 이웃의 탄식에 귀를 기울이라》라는 책을 썼는데, 이분의 신학을 다 수용하는 것은 아니지만 그 책의 한 대목이 내 마음에 와 닿았다. 저자는 마태복음에 나오는 소경 두 사람에 관한 메시지를 인용해서 이렇게 설명했다. 마태복음 20장 29-31절이다.

> 그들이 여리고에서 떠나 갈 때에 큰 무리가 예수를 따르더라 맹
> 인 두 사람이 길 가에 앉았다가 예수께서 지나가신다 함을 듣고
> 소리 질러 이르되 주여 우리를 불쌍히 여기소서 다윗의 자손이
> 여 하니 무리가 꾸짖어 잠잠하라 하되 더욱 소리 질러 이르되
> 주여 우리를 불쌍히 여기소서 다윗의 자손이여 하는지라
>
> 마 20:29-31

여기서 두 소경이 두 번에 걸쳐서 외쳤던 것이 무엇인가? "다윗의 자손이여"이다. 그런데 당시 이스라엘 백성에게는 '다윗의 자손'이라고 하면 두 인물이 떠올랐다고 한다. 한 인물은 진짜 다윗의 아들인 솔

로몬이고, 또 한 인물이 성경에 계시되었던 오실 메시아였다고 한다.

먼저 메시아에 관해 성경에 나타난 예언의 말씀을 보면 예레미야 23장 5절이 있다.

> 여호와의 말씀이니라 보라 때가 이르리니 내가 다윗에게 한 의
> 로운 가지를 일으킬 것이라 그가 왕이 되어 지혜롭게 다스리며
> 세상에서 정의와 공의를 행할 것이며 렘 23:5

오실 메시아의 특징이 "세상에서 정의와 공의를 행할 것"이었다. 그런가 하면 또 다른 '다윗의 자손'인 솔로몬에 대해서는 남방 여왕이 이렇게 평가하는 내용이 성경에 기록되어 있다.

> 당신의 하나님 여호와를 송축할지로다 여호와께서 당신을 기
> 뻐하사 이스라엘 왕위에 올리셨고 여호와께서 영원히 이스라
> 엘을 사랑하시므로 당신을 세워 왕으로 삼아 정의와 공의를 행
> 하게 하셨도다 하고 왕상 10:9

흥미롭지 않은가? 두 다윗의 자손인 메시아와 솔로몬 둘 다 세상에서 정의와 공의를 행한다는 평가를 받았다. 그러나 저자가 그 책에서 주장하기를, 솔로몬에 대한 남방 여인의 평가는 옳은 것이 아니라는 것이다. 무슨 근거로 그런 주장을 하는가 하면, 열왕기상 9장 15절에

보면 이런 내용이 기록되어 있다.

> 솔로몬 왕이 역군을 일으킨 까닭은 이러하니 여호와의 성전과
> 자기 왕궁과 밀로와 예루살렘 성과 하솔과 므깃도와 게셀을 건
> 축하려 하였음이라 왕상 9:15

여기에서 두 가지에 주목해야 하는데, 하나는 역군이다. 당시 솔로
몬 왕이 역군을 일으켰는데, 역군은 강제 노역에 끌려온 사람, 즉 노예
를 말한다. 이것이 무엇을 상징하는가? 이스라엘 백성들은 자기들이
애굽에서 노예 생활로 신음하다가 하나님의 은혜로 홍해를 탈출한 자
들이었다. 그런데 몇 세대가 지나기 전에 입장이 바뀌어서 이제는 자
기들이 노예를 압제하는 압제자가 된 것이다. 속박을 당하며 울부짖
던 이스라엘 민족이 이제는 다른 사람들을 울부짖게 만드는 민족이
되어버렸다는 것이다. 게다가 솔로몬의 입장에서 본다면 애굽의 압제
에 신음하던 자기 민족을 구원시킨 해방자 되시는 하나님을 모시는
상징인 성전을 짓는 일에 노예를 부리는 모순을 범한 것이다.

또한 본문에서 주목해야 할 두 번째는 솔로몬이 건축하려 했던 건
물의 용도이다. 열왕기상 9장 15절에 나오는 하솔과 므깃도와 게셀은
군사기지이다. 즉, 솔로몬은 엄청난 부(富)와 자원을 이용해서 군사기
지를 지었는데, 그 이유가 솔로몬 개인의 자원과 부를 보호하기 위한
조치라는 것이다.

이것들을 종합해보면 이스라엘 백성이 기억하는 솔로몬의 모습은 겉으로 보기에는 정의와 공의를 행하는 것 같았지만, 실상은 정의와 공의를 행한 것이 아니라 자신의 부와 권력과 기득권을 지키고 자신의 안정과 안위를 추구하던 인물이라는 것이다. 그러면서 저자가 주장하는 것은, 마태복음 20장에서 두 소경이 "다윗의 자손이여"라고 부르짖을 때에는 거기에 두 가지 의미가 있다는 것이다.

하나는 글자 그대로 자신들의 어려운 처지를 불쌍히 여겨달라는 절규이고, 다른 하나는 "다윗의 자손이여"라는 외침 속에 "예수님, 당신은 어떤 다윗의 자손입니까? 당신은 정의와 공평을 지키는 메시아 같은 분이십니까? 아니면 자기 유익을 위하여 군사기지를 짓는 솔로몬과 같은 자입니까?"를 묻는 메시지라는 것이다.

이 대목을 읽는데 전율이 느껴졌다. 오늘날 세상 사람들이 교회를 향해서 끊임없이 던지는 질문이 바로 이것 아닌가?

"그 교회가 교회라는 건 알겠는데 도대체 어떤 교회인가? 정의와 공의를 세우기 위해 희생하고 헌신하는 메시아의 길을 따르는 교회냐? 아니면 날마다 자기 배를 채우기 위해 탐욕적이고 이기적이며 연약한 자들을 돌보지 않는 솔로몬의 길을 따르는 교회냐?"

오늘날 이 거센 도전 앞에서 우리가 당당하게 "우리는 솔로몬의 길이 아닌 정의와 공의를 향한 예수 그리스도의 길을 따르는 교회"라고 선포할 자신이 없으면 회개해야 한다.

가정도 마찬가지다. 당신의 가정은 어느 길을 따르고 있는가? 정의와 공의를 위하여, 연약한 자들을 향한 메시아의 긍휼을 따르고 있는 가? 아니면 재산과 명예를 지키고 늘리기 위해 이웃은 안중에도 없이 이자율 따지기에만 급급하고 기도제목은 온통 내 자식, 내 식구에게 복 달라는 것뿐인 솔로몬의 길을 따르고 있는가? 우리 자신의 모습을 돌아보고 하나님 앞에 정직하게 고백하고 회개하는 역사가 일어나야 한다. 선을 흘러보내지 못한 것, 정의와 공의를 행하지 못한 죄를 회개 해야 한다.

하나님의 말씀이 능력이 되게 하라

두 번째는 하나님의 말씀을 펼쳐 들어야 한다는 것이다. 그러나 말씀이 그저 텍스트로만 머물러서는 안 된다. 우리는 교리가 아닌 하나님 기준의 삶을 살아낼 수 있는 능력을 위해서 말씀을 펼쳐 들어야 한다. 디모데후서 3장 16절 말씀을 보자.

모든 성경은 하나님의 감동으로 된 것으로 교훈과 책망과 바르게 함과 의로 교육하기에 유익하니 딤후 3:16

우리가 익히 아는 말씀이다. 그러나 우리가 간과하기 쉬운 것이 바로 뒤에 나오는 17절 말씀이다.

이는 하나님의 사람으로 온전하게 하며 모든 선한 일을 행할 능

력을 갖추게 하려 함이라 딤후 3:17

디모데후서 3장 16절은 17절과 함께 읽어야 한다. 말씀을 대해야 하는 이유와 목적이 17절에 나와 있기 때문이다. 하나님은 왜 우리 손에 성경이 들려지기를 원하시는가? 왜 우리 손에 교훈과 책망과 바르게 함과 의로 교육하기에 유익한 성경을 들게 하시는가? 교리를 더 잘 알기 위해서가 아니다. 그 이유는 말씀을 통하여 우리로 하여금 모든 선한 일을 행할 능력을 갖추게 하기 위해서라는 것이다.

성경 일독, 정말 소중한 일이다. 그러나 성경일독을 통해 "내가 성경 일독했어!" 하는 뿌듯함을 느끼는 데 그치는 것이 아니라, 말씀을 읽는 것을 통해 내 안에 선을 행하는 능력이 예전보다 더 쌓이고 있는가를 돌아봐야 한다. 그것이 제대로 성경 읽는 사람의 모습인 것이다. 이런 측면에서 간절히 촉구하고 싶다. 성경을 손에 들기 바란다. 또한 성경을 통해서 모든 선한 일을 행할 능력을 구비하는 은혜가 있기를 바란다.

실행력으로 열매 맺어라

얼마 전에 성도 한 분이 찾아왔다. 이분이 자리에 앉자마자 울기 시작하신다. 깜짝 놀라서 이야기를 들어봤더니 이랬다. 그 분은 소년원 섬기는 사역을 하고 있는 분인데, 얼마 전 출소한 아이가 있어서 대구까지 그 아이를 만나기 위해 내려갔다가 주머니를 다 털어서 주고 왔다는 것이다. 그러면서 막 울며 하는 이야기가 "목사님, 우리 교회 성도가 이렇게 많은데 더 많은 분들이 이 일에 동참하도록 목사님이 도와주세요"라는 것이다. 교회에서는 예산을 들여서 먹을 것을 준비한다고 하지만 한참 먹을 나이에 늘 간식이 모자란다는 것이다. 그 이야기를 듣는데 코끝이 찡해왔다.

그런데 우리 하나님은 참 놀라운 분이시다. 이분을 만나기 딱 15분 전에 교역자 한 분이 커피숍을 운영하는 성도가 주었다고 하면서 봉투 하나를 전해주고 갔다. 봉투를 열어보니 꽤 큰돈과 함께 편지 한 통이 들어 있었다. 편지에는 이런 글이 담겨 있었다.

"목사님, 저는 커피숍을 운영합니다. 얼마나 열심히 하는지 아십니까? 저는 돈을 벌기 위해서 많이 노력합니다. 더 부지런히 벌어서 선한 일에 동참하고 싶어서입니다. 지금도 일하는 중에 짬을 내서 이 편지를 씁니다."

나는 이런 글을 읽을 때마다 도전을 받는다.

'이찬수 목사, 너 정신 차려야겠다. 이런 성도들을 모시고 목회하는데 입에 발린 말만 가지고 그냥 설교했다가는 큰일 난다. 정신 차려라!'

나 자신을 향한 이런 경고가 나도 모르게 나온다. 나를 비롯해서 우리 모두가 삶에서 말로만 선을 행하고 말로만 예수님을 믿는 것이 아니라 우리를 긍휼히 여기시는 예수님의 마음을 우리 마음에 품고 그것을 실제로 삶에서 실행할 수 있는 능력을 갖게 되기를 바란다. 열심히 수고하고 땀 흘려 번 돈으로 이웃을 섬기겠다는 결단, 소년원의 아이들을 향한 선한 마음으로 자기 주머니를 털고 시간을 들이는 결단, 이런 사랑의 마음을 바탕으로 한 실행력이 우리에게 더 필요하다.

우리는 어떤 측면에서는 마태복음 20장에 나오는 두 소경처럼 부르짖어야 한다.

"다윗의 자손이여 우리를 불쌍히 여기소서."

육안은 멀쩡하여 사물을 다 보고 있지만 영안이 어두워져서 하나님의 일하심을 보지 못하는 우리를 불쌍히 여겨달라고, 우리의 영안을 열어달라고 부르짖어야 한다. 그래서 하나님의 선하심이 내 안에 회복되고 성령의 열매인 자비와 양선이 내 안에서 균형 있게 자라가도록 부르짖어야 한다. 우리는 너무 자주 우리의 시선을 이 땅에만 둔다. 그러나 우리가 시선을 들어 주님의 얼굴을 바라볼 때 주님의 역사하심을 목도하게 될 것이다. 바로 그때 우리의 내면에서 주님의 일을 향한 열정이 살아나고 성령의 열매를 맺고자 하는 선한 마음과 그를 위한 실행력이 일어나게 될 것이다.

오늘날 우리 교회는 붉은 십자가 불빛으로 세상을 가득 채우는 것이 아니라 하나님의 광대하심으로 가득 채워야 한다. 완악했던 우리를 온유한 존재로 훈련시키신 그 하나님의 광대하심을 이 땅에 선포해야 한다. 그래서 하나님 손에 훈련된 하나님 사람의 온유함이 세상의 완악함을 이기는 힘이 된다는 사실을 보여주어야 한다. 그것이 바로 교회가 해야 할 일이며, 교회가 회복해야 할 진짜 영향력이다.

세상을 이기는
참된 비결

09 | 충성

충성하는 자가
하나님 마음을 시원하게 한다

성령의 아홉 가지 열매 가운데 일곱 번째 열매는 '충성'이다. 잠언 25장 13절에 충성과 관련되어 이런 말씀이 있다.

> 충성된 사자는 그를 보낸 이에게 마치 추수하는 날에 얼음냉수
> 같아서 능히 그 주인의 마음을 시원하게 하느니라 잠 25:13

이 말씀의 배경을 한번 떠올려보라. 지역적으로 덥고 건조한 중동의 날씨 속에서 추수한다는 것이 얼마나 힘들고 심한 갈증을 유발하는 일이겠는가? 그렇게 목이 타고 갈증이 일어나는 상황 속에서 만나

는 얼음냉수라니, 얼마나 시원하고 얼마나 짜릿하겠는가? 정말 마음에 와 닿는 표현이 아닐 수 없다. 우리가 시원한 얼음냉수처럼 하나님을 시원하게 해드리는 인생이 될 수 있다면 그것만큼 복된 일이 없을 것이다. 그래서 나는 자주 이렇게 기도한다.

"하나님, 제가 드리는 작은 섬김이, 저의 작은 몸짓이 주님을 시원하게 해드리는 추수하는 날 얼음냉수 같은 결과가 있게 해주옵소서."

하나님을 섬기는 우리 모두가 이런 소원을 가지고 하나님을 섬기며 또 끝까지 충성하는 자들이 되기를 바란다. 이런 간절한 소원으로 성령의 아홉 가지 열매 중에서 '충성'에 대해 살펴보고자 한다.

신실함의 피스티스

'충성'은 원어로 '피스티스'라는 단어로, '신실함'이라는 뜻을 가지고 있는 단어이다. 그러고 보면 성령을 사모하고 성령충만한 사람은 한 사람도 예외 없이 자신의 삶 속에서 성실하고 자기 자리에서 최선을 다하는 신실한 사람임을 알 수 있다. 또 하나님께서는 이런 사람을 기뻐하신다.

우리가 잘 아는 베드로는 예수님을 만나기 전날 밤에 밤새도록 그물질을 했지만 고기 한 마리 잡을 수 없었던 지독한 실패를 경험했다. 그러나 예수님은 고기 한 마리 잡지 못했던 어부 베드로의 무능함에 초점을 두지 않으시고 그런 상황에도 불구하고 밤이 새도록 끝까지 자리를 지키며 포기하지 않았던 그의 신실함에 주목하셨다. 우리 주님은 우리의 능력이 아니라 우리의 신실함에 주목하신다. 이것이 은혜이다.

만약 그때 주님이 베드로가 고기를 어마어마하게 많이 잡은 모습을 보시고 "야, 이놈 쓸 만한데? 얘를 데려다가 써야겠다"라고 하시며 그를 부르셨다면 이야기가 달라졌을 것이다. 그러나 주님의 초점은 베드로의 능력과 그가 낸 결과에 있지 않으셨다. 그렇다면 오늘날 우리는 무엇을 위해 몸부림쳐야 하겠는가?

세상에서 큰돈을 모으고 사업에 성공하고 넓은 집으로 이사 가고 큰 교회를 일구어내고 하는 것은 주님의 시각으로는 다 부질없는 짓이다. 하나님의 관점은 그가 얼마나 세상적으로 성공했느냐에 있지 않다. 얼마나 큰 교회를 세웠느냐에 있지 않다. 하나님은 그가 자신에게 맡겨진 일에 얼마나 신실하게 끝까지 최선을 다하는가, 그 한 가지 기준으로 사람을 보신다. 하나님의 평가기준은 세상의 평가기준과 다르다. 이 사실을 알 때 우리가 진정한 행복을 누릴 수 있다.

개인적으로 '피스티스'라는 단어에 대해 연구하고 묵상하면서 은혜를 많이 받았다. '피스티스'라는 단어 속에 우리를 향한 얼마나 많은 교훈이 담겨 있는지 모른다. 이 단어를 중심으로 '충성'이라는 열매의 깊은 의미를 몇 가지 살펴보자.

충성은 중심의 태도이다

충성은 첫째로 마음으로 승복하는 중심의 태도를 말하는 것이다.

'피스티스'의 어근은 '페이도'인데, 이 단어는 '설득을 당하다'라는 뜻을 가지고 있다. 여기에서 '설득하다, 설득시키다'라는 뜻의 영어 단어 'persuade'가 파생되었다고 한다. 따라서 원어의 의미로 봤을 때 '충성'이라는 성령의 열매는 이렇게 해석할 수 있다.

"충성이란 하나님께 설득된 상태, 하나님께 설득되어 마음으로 승복하는 내적인 태도를 말한다."

우리나라 사람들은 에너지가 많고 열정이 넘쳐서 그런지 모르겠지만 '충성'을 행위적인 개념으로 생각하는 경향이 있는 것 같다. 헌신하고 땀 흘려 일하고 봉사하고 열매를 많이 거두는 것을 충성으로 생각하는 것이다. 그러나 성령의 열매로서의 충성은 그런 행위적인 의미보다는 내적인 마음의 상태를 뜻하는 것이다. 내가 하나님께 설득당한 상태, 내가 하나님께 승복당한 마음의 상태가 바로 충성이라는 것이다.

오늘날 한국 사회의 문제가 무엇인가? 행위적인 충성은 이곳저곳에서 많이 넘쳐나지만 내면적인 승복은 찾아보기 어렵다는 것이다. 직장인의 가장 큰 애환 중 하나가 상사들의 무리한 요구일 것이다. 그럴 때 겉으로는 충성하는 것처럼 행동을 취하지만 그 내면에서는 이런 불평이 끊임없이 울리고 있다.

'잘못 보이면 회사 생활 힘들어지니까 내가 저 말을 듣지. 아니면 내가 왜 저런 놈의 말을 듣고 있어?'

이것은 성경이 말하는 '피스티스'의 상태가 아니다. 정말 슬프고 안타까운 것은 사회나 회사에서뿐 아니라 교회에서도 겉으로 보이는 행동적인 충성은 많이 일어나지만 마음으로 승복하는 내적인 충성은 찾아보기 힘들다는 것이다. 그래서 나는 교회의 여러 교역자들과 함께 사역하면서 그들과 나를 위해서 또 그 관계를 위해서 늘 기도하는 기도제목이 있다.

"하나님, 우리의 관계가 진정으로 하나님이 기뻐하시는 '피스티스'의 관계가 되게 해주옵소서!"

바로 이것이다. 그러기 위해서는 피차가 노력해야 한다. 담임목사는 성도들 앞에서나 교역자들 앞에서나 늘 동일한 모습을 보일 수 있도록 더 노력해야 한다. 성도들 앞에서는 천사같이 말하고 행동하다가 교역자들 앞에서는 갑자기 돌변하여 험한 말을 하고 함부로 대하고 행동한다면, 교역자들이 그 담임목사를 보면서 '저 목사는 위선자야'라고 생각하지 않겠는가? 그런 상태에서는 '피스티스'가 이루어질 수 없다.

이런 측면에서 나도 늘 노력하며 조심하지만 우리 교역자들을 향해서도 늘 부탁하는 것이 있다. 그것은 서로 너무 기능적으로만 대하지 말자는 것이다. 일 중심적으로, 기계적으로, 담임목사와 교역자로서의 역할로만 서로를 대하다 보면 진정한 '피스티스'가 이루어지기 어렵기 때문이다.

하나님이 원하시는 것, 진정한 마음의 승복

하나님과의 관계도 마찬가지다. 교회에서 땀 흘리며 봉사하고 수고하고 헌신하는 것도 필요하지만 그보다 더 본질적으로 하나님께서는 마음의 승복을 원하시며 이렇게 말씀하고 계신다.

"나는 네가 내게 마음으로 승복하기 원한다. 네가 나를 우주의 주인 되는 하나님으로 인정하고 내게 승복하기를 원하며, 그렇게 마음으로 내게 승복함으로써 네가 진정한 평안을 누리기를 원한다."

우리가 잘 아는 찬양 중에 이런 찬양이 있다.

> 하나님 한 번도 나를 실망시킨 적 없으시고
> 언제나 공평과 은혜로 나를 지키셨네

정말 귀하고 아름다운 고백의 찬양이다. 그러나 이 찬양을 작사작곡한 분에 대한 사연을 안다면 이 가사가 말도 안 되는 가사라고 말할지도 모른다. 이분의 딸은 어릴 때 중병을 앓았다. 그때도 그 분은 하나님에 대한 찬양을 놓지 않았다. 그러다 결국 그 병이 재발되어 열여섯 살 너무도 꽃다운 나이에 결국 하나님 품으로 떠나게 되었다. 부모 입장에서 자신의 자녀가 자신보다 먼저 이 세상을 떠나는 것만큼 슬픈 일이 어디 있겠는가? 그런데도 그 분은 여전히 "하나님 한 번도 나를 실망시킨 적 없으시고"라고 고백하는 것이다.

어떻게 이런 일이 가능할까? 하나님께 승복하는 것이다. 머리로는 이런 일이 왜 일어나는지 이해가 안 가고 납득도 안 되지만, 영원과 영원을 이으시는 하나님 앞에서는 하루살이보다 못한 우리 인생이 다 알 수 없는 하나님의 깊은 뜻이 있음을 믿고 그에 승복하기로 결단하기 때문에 이런 놀라운 고백이 가능하다.

이런 분들의 삶을 엿보다 보니, 하나님께 마음으로 승복하는 진정한 내적 충성을 가진 사람들에게 하나님이 주신 놀라운 선물 한 가지가 있음을 알게 되었는데, 그것은 어떤 상황에서도 빼앗기지 않는 '샬롬의 축복'이었다. 만약 하나님께서 계시지 않았다면 절망의 구덩이를 헤맬 수밖에 없는 그런 비통한 일을 겪었을 때에도 그의 내면에는 여전히 빼앗기지 않는 '샬롬'의 은혜가 있었던 것이다.

바로 이 은혜가 우리에게 있어야 한다. 하나님께 마음으로 승복당하고 설득당하여 영적으로 온전히 충성하는 하나님 앞에서의 피스티스의 은혜가 우리 모두에게 있기를, 그리하여 어떤 상황에서도 흔들리지 않는 진정한 '샬롬'의 축복을 누리게 되기를 간절히 바란다.

하나님의 결산은 오랜 후에 이루어진다

둘째로 충성은 지속적으로 충성하는 삶의 모습을 의미한다. '피스티스'라는 단어 안에는 '지속'이라는 개념이 포함되어 있다. 따라서 성경이 말하는 충성은 반짝 열심을 내는 차원의 열심이 아니다.

우리가 잘 아는 달란트 비유를 살펴보면 흥미로운 사실 하나를 발견할 수 있다. 마태복음 25장을 보자.

또 어떤 사람이 타국에 갈 때 그 종들을 불러 자기 소유를 맡김과 같으니 각각 그 재능대로 한 사람에게는 금 다섯 달란트를, 한 사람에게는 두 달란트를, 한 사람에게는 한 달란트를 주고 떠났더니 마 25:14,15

한 주인이 먼 길을 떠나면서 자기 종들을 불러 자기 소유, 즉 각각의 달란트를 맡겼다. 그리고 이어지는 말씀에서 우리가 기억해야 할 한 가지 중요한 포인트가 있는데, 19절 말씀을 한번 보자.

오랜 후에 그 종들의 주인이 돌아와 그들과 결산할새 마 25:19

주인이 돌아와서 결산을 하는데, 언제 결산하는가? '오랜 후에' 결산한다. 이것이 하나님나라의 법칙이다. 그렇기 때문에 하나님나라에서는 순간적으로 반짝 하는 식의 임기응변 충성이 통하지 않는다. 하나님께서는 어떤 사람을 쓰시는가? 하나님께서는 성령의 사람을 쓰시는데, 성령의 사람은 지속적으로 하나님께 순복하며 지속적으로 충성하는 사람이다. 하나님께서는 끝까지 충성하는 사람을 쓰신다.

하나님은 끝까지 충성하는 모습에 주목하신다
성경에 나오는 엘리사 역시 지속적으로 충성했던 성령의 사람이었다. 열왕기하 2장 9절에서 엘리사는 자신의 소원을 이렇게 고백한다.

> 엘리사가 이르되 당신의 성령이 하시는 역사가 갑절이나 내게
>
> 있게 하소서 하는지라 왕하 2:9

여기서 '갑절' 이라는 것은 단순히 '두 배'라는 뜻이 아니라 스승 엘리야에게 있었던 영적인 물꼬가 당대에서 끊어지지 않고 자신에게로 전수되기를 바라는 소원을 말하는 것이었다. 이토록 엄청난 소원을 품고 절박하게 고백했던 엘리사는 결국 하나님의 위대한 종 엘리야의 후계자가 되는데, 여기서 한 가지 엘리사와 관련하여 꼭 유의해서 살펴야 할 것이 있다.

> 여호와께서 회오리 바람으로 엘리야를 하늘로 올리고자 하실
>
> 때에 엘리야가 엘리사와 더불어 길갈에서 나가더니 엘리야가
>
> 엘리사에게 이르되 청하건대 너는 여기 머물라 여호와께서 나
>
> 를 벧엘로 보내시느니라 하니 엘리사가 이르되 여호와께서 살
>
> 아 계심과 당신의 영혼이 살아 있음을 두고 맹세하노니 내가 당
>
> 신을 떠나지 아니하겠나이다 하는지라 이에 두 사람이 벧엘로
>
> 내려가니 왕하 2:1,2

지금 스승 엘리야는 엘리사에게 "그만하면 됐다. 너는 여기에 머물러 있거라"라고 말하고 있다. 그러나 신실했던 엘리사는 "내가 당신을 떠나지 않겠습니다"라고 말하며 스승 엘리야를 좇아 벧엘로 간

다. 재미있는 것은 이 같은 상황이 계속 반복된다는 것이다. 4절 말씀이다.

> 엘리야가 그에게 이르되 엘리사야 청하건대 너는 여기 머물라 여호와께서 나를 여리고로 보내시느니라 엘리사가 이르되 여호와께서 살아 계심과 당신의 영혼이 살아 있음을 두고 맹세하노니 내가 당신을 떠나지 아니하겠나이다 하니라 그들이 여리고에 이르매 왕하 2:4

지명만 빼고 모든 것이 똑같다. 6절에서도 마찬가지다.

> 엘리야가 또 엘리사에게 이르되 청하건대 너는 여기 머물라 여호와께서 나를 요단으로 보내시느니라 하니 그가 이르되 여호와께서 살아 계심과 당신의 영혼이 살아 있음을 두고 맹세하노니 내가 당신을 떠나지 아니하겠나이다 하는지라 이에 두 사람이 가니라 왕하 2:6

"이 같은 일이 세 번 반복해서 일어났더라" 정도로만 기록해도 될 것 같은데, 성경은 왜 이렇게 장황하게 반복해서 기록하고 있을까? 이것이 무엇을 의미하는가? 하나님께서는 엘리야의 후계자로 엘리사가 선정되는 과정에서 끝까지 충성하는 그의 모습에 주목하신 것이다.

스승 엘리야가 아무리 반복해서 "이제 그만 따라오너라"라고 말해도 엘리사는 끝까지 "내가 당신을 떠나지 않겠나이다"라고 말하며 스승을 따랐다. 길갈에서 벧엘로, 벧엘에서 여리고로, 여리고에서 요단에 이르기까지 끝까지 충성하는 이런 엘리사의 모습에서 우리는 신실함이라는 뜻의 '피스티스'라는 단어를 떠올리게 된다.

사실 오늘날 우리는 어쩌면 너무 똑똑한 것이 화근인지도 모른다. 계산도 빠르고 지나치게 똑똑해서 영악하게 지름길로 가는 법은 아는지 몰라도 하나님을 우직하게 섬기는 지속적인 충성의 모습은 놓치고 있는 것 같다. 그러나 하나님은 지속적으로 끝까지 충성하는 사람을 쓰신다는 사실을 꼭 기억해야 할 것이다.

지속적인 충성의 눈물이 진정한 교회를 세운다

분당우리교회가 2012년으로 창립된 지 꼭 10년을 맞는다. 지난 10년을 돌아보니 내 마음에 자꾸 떠오르는 사람들이 있다. 바로 교회 창립 멤버들이다. 사랑의교회에서 청소년 사역을 하다가 고(故) 옥한흠 목사님의 권면으로 교회 개척을 준비하기 시작했는데, 고맙게도 30여 명의 창립 멤버들이 나와 뜻을 함께해주었다. 미국에 계신 어머니는 아직도 가끔씩 이런 말씀을 하신다.

"너를 따라 나선 창립 멤버들의 은혜는 죽을 때까지 잊어서는 안 된다. 얼마나 고마운 일이냐?"

나도 전적으로 동의한다. 당시 옥한흠 목사님 하면 우리나라에서 설교 잘하기로 손에 꼽히던 분이었다. 그런 주옥같은 설교를 포기하고 이제 막 40대에 들어선 어설프기 짝이 없는 나를 따라 나선다는 게 결코 쉬운 일은 아니었을 것이다. 정말 고마운 일이다.

그런데 개척 초장기에 나는 그런 그들을 얼마나 탄압 아닌 탄압을 했는지 모른다. 수시로 불러서 "창립 멤버들은 사람들 눈에 띄는 데서 봉사하지 마세요. 그런 자리는 다 새로 오신 분들에게 양보해주세요"라고 당부하고 협박하기 일쑤였다. 사실 얼마나 섭섭한 이야기인가? 좋은 교회에서 신앙생활 잘하다가 기득권 다 버리고 개척 교회로 섬기러 왔는데, 봉사도 마음대로 못하게 하고 매일 듣는 것이 "새로 온 사람에게 양보하라"는 말뿐이니 나 같았으면 벌써 뿌리치고 떠났을지도 모른다. 심지어는 그들을 모아놓고 이런 말을 한 적도 있다.

"우리 창립 멤버들이 '나는 분당우리교회에서 장로 할 생각 없습니다'라고 자기선언을 할 정도로까지 마음에 단단히 결단하지 않으면 이 교회에 희망이 없습니다."

물론 그 '정신'에 대해 말한 것이기는 하지만 듣기에 따라서는 상처가 될 수도 있는 말이었다. 어떻게 그런 말을 면전에 대고 그렇게 할 수 있었는지, 그러고 보면 나도 참 냉정했던 것 같다. 사실 나도 쉽게 꺼낸 이야기는 아니었다. 입 밖으로 내기 정말 힘들고 미안한 말이었지만 그럼에도 할 수밖에 없었던 이유는, 수많은 교회들을 다녀본 결과 창립 멤버들이 드러나는 교회 치고 부흥하는 교회를 못 봤기 때문이다. 그 사실을 이분들도 알기 때문에 눈물로 수용해준 것이다.

그 결과, 그 아름다운 정신이 우리 교회의 전통이 되어 지금도 우리 교회에는 "이 교회가 내 교회다, 내가 피땀 흘려 일군 내 교회다"라고 생각하며 기득권을 주장하는 사람이 없다고 자부한다. 이 아름다운 전통과 문화는 바로 창립 멤버들의 눈물어린 충성과 헌신에서 시작되었다. 그들의 지속적이고 희생적인 충성 덕분에 이 교회가 지금껏 성장해올 수 있었다.

예배를 준비하기 위해 주일 이른 시간에 교회에 나와 보면, 나보다 먼저 오신 분들이 그렇게 많다. 이제 막 6시 넘었을 뿐인데 주차장은 차들을 맞을 준비가 벌써 끝나 있으며, 예배를 드려야 하는 체육관의 의자 정리도 마무리 단계이다. 1부 예배를 섬기는 성가대는 몇 시부터 와서 연습을 시작했는지 벌써부터 찬양 연습 소리가 들리기 시작한다. 그런 모습을 볼 때마다 내 마음이 뭉클하다. 그러면서 감사와 간구의 고백이 절로 나온다.

"하나님, 오늘 하루만 반짝 열심을 내는 열심히 아니라 이렇게 변함없이 오래도록 하나님을 사랑하고 예배를 사랑하는 이 신실한 주의 종들 때문에 이 교회가 은혜를 누리는 줄 믿습니다."

끊임없이 드려지는 그들의 눈물 어린 충성이 교회를 세운다. 우리 모두 하루 이틀에 그치는 반짝 열심이 아니라 이 땅을 떠나 천국 가는 그 순간까지 하나님 앞에 진정한 마음의 승복으로 지속적인 충성을 드릴 수 있게 되기를 간절히 바란다.

나의 충성보다 하나님의 신실하심이 먼저 있었다

마지막으로 우리가 충성하기 위해서는 먼저 하나님의 신실하심이 선행되어야 한다. 그렇기 때문에 우리가 하나님 앞에 진정한 충성으로 나아가기 위해서는 먼저 하나님의 신실하심을 기억해야 한다.

이미 살펴본 것처럼 '충성'의 원어인 '피스티스'는 '신실함'이라는 뜻을 가지고 있다. 여기서 한 가지 더 살펴볼 것은, 이 '피스티스'는 원래 '하나님의 신실하심'을 가리킬 때 사용하는 단어라는 것이다. 이것이 무엇을 의미하는가? 우리가 진정으로 하나님께 충성할 수 있기 위해서는 그에 앞서서 먼저 나 자신이 하나님의 신실하심의 은혜를 경험해야 한다.

내가 교회를 개척하고 지금까지 이를 악물고 다짐하는 것이 있는데, 그중에 하나가 헌금을 강요하지 말아야겠다는 것이다. 그래서 우리 교회에서는 개척 때부터 지금까지 헌금주머니를 돌리지 않았다. 또 주보에 헌금하신 분 명단을 기록하는 일도 하지 않았다. 헌금이라는 것이 강요한다고 될 문제가 아니지 않은가? 요즘 사람들이 얼마나 똑똑한데 목사가 강단에서 헌금 강요한다고 많이 하고 강요하지 않는다고 안 하겠는가? 그러나 나는 헌금을 강요하지 않아도 하나님의 은혜를 은혜로 누리게 되면 저절로 하나님께 자원하는 심령과 기쁨으로 헌금을 하게 될 것이라고 확신한다.

마찬가지의 맥락에서 나는 봉사하라는 강요도 가급적 하지 않는다. 물론 답답한 마음에 소용이 없다는 것을 알면서도 봉사의 손길이 필요한 부서에 자원하라는 강요 아닌 강요를 한 적은 몇 번 있다. 그러나 봉사 역시 강요한다고 되는 것이 아니다. 나는 교회가 충성을 강요하는 교회이기보다는 은혜가 공급되는 교회가 되기를 바란다. 은혜가 공급되고 십자가가 전해지고 그 사랑이 흘러가게 되면 자연스레 신실하신 하나님의 '피스티스'를 마음에 안고 하나님께 자발적으로 충성하는 종들이 될 줄 믿기 때문이다.

얼마 전에 우리 교회 한 성도의 가정의 자녀가 결혼을 하게 됐다. 결혼식을 마치고 혼주가 주례를 맡았던 우리 교회 부목사님에게 감사의 인사와 함께 봉투 하나를 건넸다고 한다. 그래서 이분이 "우리 교회는 주례비를 안 받습니다"라고 말씀드리고 정중히 거절하셨는데, 그로부터 며칠 뒤 그 가정에서 꽤 큰돈을 헌금하면서 "이 돈을 교회에 맡깁니다. 교회에서 가치 있는 일에 귀하게 사용해주세요"라고 하는 것이 아닌가? 그 성도가 왜 자신의 땀과 눈물로 모은 그 돈을 선뜻 헌금으로 드릴 수 있었을까? "주례비 대신 더 큰 돈으로 헌금하세요"라고 강요한 것도 아니고 가르친 것도 아닌데 말이다. 그것은 자녀를 양육하고 결혼을 시키는 과정에서 선행하시는 하나님의 신실하신 은혜에 감격했기 때문이다. 나는 우리 모든 그리스도인이 이 은혜를 누리기 바란다.

스스로 종 된 이유

사도 바울은 고린도전서에서 이런 놀라운 고백을 한다.

사람이 마땅히 우리를 그리스도의 일꾼이요 하나님의 비밀을
맡은 자로 여길지어다 그리고 맡은 자들에게 구할 것은 충성이
니라 고전 4:1,2

바울은 왜 이런 말을 했을까? 그리고 그는 왜 자기 스스로 종이 되
고자 했을까? 바울은 요즘으로 치면 명문대학 나오고 미국 유학까지
다녀온 이름만 대면 다 알만한 집안의 사람으로 그냥 있었으면 세상
적으로 그야말로 승승장구 했을 것이다. 그런 그가 왜 스스로 그리스
도의 일꾼을 자처하고 나중에는 목이 베여 죽음을 당했을까? 어떻게
이런 일이 가능했는가? 이 질문에 바울 스스로가 이렇게 이야기한다.

내가 전에는 비방자요 박해자요 폭행자였으나 도리어 긍휼을
입은 것은 내가 믿지 아니할 때에 알지 못하고 행하였음이라 …
미쁘다 모든 사람이 받을 만한 이 말이여 그리스도 예수께서 죄
인을 구원하시려고 세상에 임하셨다 하였도다 죄인 중에 내가
괴수니라 딤전 1:13,15

바울을 지배하는 것이 무엇이었는가? 내게 먼저 은혜 주신 하나님,
주께서 지신 십자가에 대한 감사, 죄인 된 우리에게 먼저 베푸신 하나
님의 그 신실한 사랑에 대한 감사와 감격이 바울을 요동치게 만든 것
이다. 그래서 그는 스스로를 종으로 여기며 자발적으로 하나님을 섬

기는 일꾼이 되는 길을 걷게 된 것이다.

언젠가 성경을 보다가 바울의 고백 때문에 눈물을 펑펑 흘린 적이
있다. 사도행전 20장 22절의 말씀이다.

> 보라 이제 나는 성령에 매여 예루살렘으로 가는데 거기서 무슨
> 일을 당할는지 알지 못하노라 행 20:22

개역한글성경은 이 부분을 "보라 이제 나는 심령에 매임을 받아 예
루살렘으로 가는데…"라고 번역한다. 바울은 지금 교회를 크게 개척
해놓고 그곳을 떠나 다른 지방으로 가거나 다른 나라로 선교사로 가
는 정도가 아니다. 큰 교회를 내려놓고 자기를 희생하여 낙도로 들어
가는 차원이 아니다. 바울은 이 놀라운 고백 이후 얼마 지나지 않아 죽
임을 당한다. 그는 지금 자신의 앞길에 어떤 비극이 닥쳐올지 뻔히 알
면서도 하나님의 사랑에 매여, 심령에 매임을 받아 그 길을 가지 않을
수 없다고 고백하는 것이다.

나와 함께하신 하나님의 놀라운 은혜

최근에 교역자들과 함께 기도회를 하다가 지금껏 베푸신 하나님의
은혜가 파노라마처럼 스쳐 지나가면서 그 은혜에 대한 감격으로 눈물
을 펑펑 흘린 적이 있다. 교회를 개척한 당시 나는 어른 목회라고는 해
본 적 없는 이제 막 마흔두 살의 애송이였다. 교구를 어떻게 나눠야 하

는지조차 몰랐던 무지한 목회자였다. 그런 상황이다 보니 목회가 많이 두려웠다. 그래서 초창기에는 새벽예배 드리려고 교회에 나와 앉아 있으면 눈물밖에 안 났다.

"하나님, 망신당하지 않게 해주세요. 어떻게 해야 할지 아무것도 모르겠어요."

그런 어리고 무지한 나를 지난 10년 동안 하나님의 '피스티스'로, 그 신실하심으로 이끌어주신 은혜를 생각하니 눈물을 흘리지 않을 수 없었다.

교회 개척을 위해 70여 평의 공간을 마련하고 잔금까지 다 치렀는데 인근 교회의 반대로 그곳을 포기하고 하나님의 귀한 돈 천 몇백 여만 원을 손해 봤을 때, 어찌할 바를 모르고 망연자실해 있는 나를 신실하신 하나님은 지금의 송림중고등학교로 인도해주셨다. '이렇게 좋은 곳을 주시려고 그 공간을 하나님이 막아주셨구나' 하는 생각이 들자 그 역시 하나님의 신실하신 은혜임을 부인할 수 없었다.

목회를 하는 동안에도 하나님 없이는 도저히 설명할 수 없는 수많은 일들이 있었다. 미국에서 공부하다가 뇌종양으로 쓰러진 아이를 위해 온 성도가 하나님 앞에 부르짖어 간구했을 때 하나님은 그 아이를 치료해주시고 살려주셔서 지금은 그 아이가 우리 교회 장애인복지관에서 장애우들을 신실하게 섬기는 멋진 청년으로 성장했다. 그 은혜를 떠올리니 또 눈물을 흘리지 않을 수 없었다.

예배를 통해 깨어진 가정들이 위기 속에서 회복되고 치유되는 기적을 허락하신 하나님, 인생의 실패를 겪고 좌절하여 모든 소망을 잃은 사람이 다시 한 번 하나님의 은혜를 깨닫고 일어서게 된 일들, 꿈 없이 방황하던 젊은 청년들이 하나님 안에서 꿈과 비전을 발견하게 된 놀라운 일들, 하나님이 베푸신 은혜들이 하나하나 머릿속을 스쳐 지나가는데 눈물을 멈출 수가 없었다. 그렇게 끊임없이 눈물 흘리면서 하나님께 간절히 기도했다.

"하나님, 우리에게는 아직도 하나님의 신실하신 은혜가 필요한 성도들이 많습니다. 하나님의 피스티스, 하나님의 신실함이 필요한 가정이 많습니다. 이 교회 안에 그 은혜가 끊어지지 않게 해주옵소서. 하나님의 사랑의 물결이 끊어지지 않게 해주옵소서!"

주님의 신실하심은 나를 한 번도 부인한 적 없으시다!

그날 눈물의 기도회를 드리면서 초대교회의 폴리캅(Polycarp)이라는 인물이 떠올랐다. 폴리캅은 예수님을 믿는다는 이유로 잡혀서 화형을 당한 사람이다. 폴리캅이 화형을 당하기 직전, 사람들은 그를 이렇게 회유했다.

"네가 한 번만 예수를 부인하면 너를 살려주겠다. 마음으로 부인하지 않아도 좋다. 한 번만 네 입으로 부인하면 내가 너를 살려주겠다."

그때 폴리캅은 이런 말을 남기고 죽음을 맞았다고 한다.

"지난 80년간 그리스도는 한 번도 나를 부인한 적 없었는데 내가 어떻게 그분을 부인할 수 있단 말입니까? 내 몸에 잠깐만의 고통을 줄 이

불로 나를 겁주려 하지 말고 하나님을 대적하는 자들에게 예비된 영원한 지옥의 불을 두려워하기 바랍니다."

오늘날 한국 교회는 왜 이렇게 비겁해졌는가? 왜 이렇게 초라해졌는가? 그 은혜에 대한 감격이 사라져서 그렇다. 나를 결단코 부인하지 않으시는 하나님의 은혜에 대한 감격, 바울이 죽음을 맞을 때까지 그 내면에 살아 역사하던 선행하시는 하나님의 은혜에 대한 감격이 사라졌기 때문이다. 내가 죄인의 괴수였는데, 우리 가정이 절망적인 상황에 놓여 있었는데, 자녀들이 갈 바를 알지 못하고 방황하고 있었는데 지금 이 자리에 있기까지 얼마나 많은 하나님의 은혜가 나를 이끌었는가? 내가 어떻게 구원 받고 이 자리까지 오게 되었는가? 그 구원의 감격이 회복될 때 우리는 진정한 충성으로 하나님 앞에 나아갈 수 있을 것이다. 우리는 다 이렇게 고백하며 기도해야 한다.

"하나님, 제 안에 주님의 은혜에 대한 감격이 식었습니다. 구원의 감격이 없습니다. 하나님, 그 구원의 감격을 회복시켜주시고 그것이 능력이 되어 어떤 상황에서도 비굴하지 않게 해주소서. 세상에서 초라해지지 않기를 원합니다. 비록 화형이 나를 두렵게 만들지 몰라도 그 감격이 세상 속에서 하나님께 진정한 충성으로 섬길 수 있는 원동력이 되게 하여주옵소서."

온유가
세상을 이기는 능력이다

언젠가 모 항공사 해외지점에서 일하는 지점장을 만나 대화를 나눌 기회가 있었다. 그 지역이 관광지로 꽤 유명한 곳이었기 때문에 일본 관광객과 한국 관광객이 많이 찾는 곳이었는데, 일하다 보면 간혹 손님들에게 항의를 받을 때가 있다고 한다.

그런데 그 지점장이 하는 이야기가, 대부분 일본 관광객들은 불만을 표현할 때도 차분하고 냉정하게 자기주장을 펼치는 반면, 한국 관광객들은 같은 표현을 해도 무례하고 난폭한 경우가 많다는 것이다. 또 일단 목소리를 높여서 화부터 내는 경우가 많다고 한다. 그래서 같은 한국인으로서 항공사 직원들이 종종 상처를 받곤 한다는 것이다.

그 이야기를 들으면서 우리나라 사람들이 원래 그렇지 않았을 텐데 언제부터 이렇게 경직되었는지를 생각해본 적이 있다.

사실, 지금 우리 사회가 지나치게 살벌하고 거칠다는 우려를 표현하는 사람들이 많다. 단적으로 표현해서 지금 한국 사회는 목소리 큰 사람이 이기는 사회라고 말할 정도이다. "부드러움은 모든 것을 이긴다"라는 말이 있는데, 이 말이 대한민국에서는 통하지 않는다. 부드러움이 모든 것을 이기는 것이 아니라 거칠고 큰 목소리가 모든 것을 이기는 사회가 돼버렸다. 참 가슴 아픈 일이다.

이런 현실 속에서 성령의 여덟 번째 열매인 '온유'는 더욱 중요한 의미를 지닌다.

하나님 손에 붙들린 상태

성경이 말하는 '온유'는 두 종류로 나누어 생각할 수 있다. 하나는 '상태로서의 온유'이고, 또 다른 하나는 '행위로서의 온유'이다.

갈라디아서 5장 23절의 '온유'란 단어를 원어로 보면 '프라우테스'라는 단어인데, 이 단어는 원래 길들여진 야생동물의 성질을 나타낼 때 사용하는 단어이다. 그렇기 때문에 여기서 언급된 '온유'는 그저 착하고 유순한 것을 말하지 않는다. 훈련에 의해 깎이고 다듬어져서 스스로 조절하고 절제할 수 있는 힘이 생긴 상태가 여기서 말하는 '온유'이다.

'프라우테스'라는 단어를 묵상하면서 예전에 읽었던《칭찬은 고래도 춤추게 한다》라는 책이 떠올랐다. 그 책의 배경이 된 미국 올랜도의 씨월드(Sea World)에 가보면 지금도 범고래 쇼가 벌어진다고 한다. 범고래는 알다시피 식인고래이다. 그 위험한 식인고래를 잘 훈련시켜서 순한 양처럼 만들어놓은 것이다. 무서운 식인고래가 노련한 조련사의 손에 붙잡혀 순한 양처럼 온순해져 있는 상태, 이것이 성경이 말하는 '온유'인 것이다.

이런 맥락에서 본다면, 모든 그리스도인은 노련한 조련사 되시는 하나님 손에 붙들려 훈련되어가는 존재라고 할 수 있다. 영성훈련이 다른 것이 아니다. 조련사 되시는 하나님에 의해 내 인격이 다듬어져가는 온유훈련, 인격훈련이 바로 영성훈련이다.

모세를 한번 보라. 모세는 바로의 궁전으로 입양되어 왕실훈련을 받았다. 그러나 그 최고의 왕실훈련이 모세를 인격적으로 다듬어주지 못했다. 넘치는 혈기로 애굽 사람을 때려죽이는 폭력적인 성향을 그대로 드러냈다. 그 일로 모세는 무려 40년 동안이나 광야에서 하나님의 손에 의해 인격훈련을 받게 되는데, 그 결과 모세가 어떻게 변하는가?

이 사람 모세는 온유함이 지면의 모든 사람보다 더하더라 민 12:3

왕실훈련으로 채워지지 않았던 인격훈련이 하나님의 손에 붙들리자 비로소 가능했던 것이다.

자기 소견대로 행하는 자의 결말

하나님 손에 붙들려 훈련받았던 모세의 경우와는 정반대의 상황을 우리는 사사기에서 볼 수 있다. 성경에서 사사기만큼 읽기에 민망하고 폭력적인 부분도 없을 것이다. 요즘으로 치면 '19세미만 관람불가' 폭력 영화의 한 장면 같다. 토막 살인과 불륜을 비롯하여 온갖 잔인한 폭력과 타락이 난무했던 시대가 바로 사사 시대였다. 도대체 왜 사사 시대 때 그토록 끔찍한 타락이 일어나게 됐는지 하나님께서는 한 마디로 설명하신다.

그때에는 이스라엘에 왕이 없었으므로 사람마다 자기 소견에
옳은 대로 행하였더라 삿 17:6

하나님께서는 똑같은 말씀을 한 번 더 반복하신다.

그때에 이스라엘에 왕이 없으므로 사람이 각기 자기의 소견에
옳은 대로 행하였더라 삿 21:25

나는 두 번에 걸친 사사 시대에 대한 하나님의 진단을 읽을 때마다 이 말씀이 꼭 하나님의 절규처럼 느껴진다. 가슴 아픈 것은 하나님께서 오늘날 우리를 지켜보시며 이와 똑같은 절규를 하고 계신 것은 아닐까 하는 생각이 든다는 것이다. 지금 우리 사회의 모습을 보라. 조련

사 손에 잘 훈련된 범고래 같은 모습이 아니라 닥치는 대로 사람을 잡아먹으려고 달려드는 야생의 범고래 같은 모습 아닌가?

왜 그렇게 되었는가? 우리 마음에서 하나님을 몰아내버렸기 때문이다. 포스트모더니즘, 다원주의, 인본주의의 물결에 휩쓸려 우리의 조련사 되시는 하나님을 우리 마음에서 쫓아낸 것이다. "하나님은 필요 없다"를 외치며 각기 자기 소견에 옳은 대로 행하고 있는 이 시대가 이런 끔찍한 타락과 폭력을 낳고 있는 것이다.

내 인생의 조련사 되시는 하나님

그러고 보면 세상 사람은 두 종류로 구분할 수 있다. 하나는 모세처럼 자신을 연단시키고 다듬어주는 조련사가 있는 인생, 또 하나는 사사 시대의 사람들처럼 자신의 거친 성정(性情)을 다듬어줄 조련사가 없는 인생이다. 우리가 누군가의 손에 의해 훈련받을 수 있다는 것, 그 자체가 우리에게 은혜이자 축복이다.

개인적으로 내 인생을 돌아보면 옥한흠 목사님을 만나기 이전과 이후로 나눌 수 있다. 만약 내가 옥한흠 목사님을 만나지 못했다면, 만약 내 인생에 그런 훌륭한 롤모델이 없었다면 어땠을까 생각하면 아찔할 정도이다. 교회를 개척하고 목사님의 영향권을 완전히 벗어난 후에도 나는 때때로 설교하는 내 뒤에 목사님이 서 계시는 것 같은 느낌을 받을 때가 있었다. 심지어 그 분이 돌아가신 지금도 나에게는 큰 영향력으로 남아 있다. 마음이 조금만 흐트러지고 목회의 정도(正道)에서 조금만 어긋나는 것 같아도 "허튼 짓 하면 안 돼. 정신 차려야 해. 목사가 그러면 안 돼!" 하며 책망하는 목소리가 들리는 것 같다.

이런 경고가 있는 인생과 없는 인생이 어떻게 같겠는가? 내가 인간적으로 존경하고 신뢰하는 한 사람도 나에게 이렇듯 지대한 영향을 끼치는데, 하물며 가장 뛰어난 조련사 되시는 하나님께서 나를 다듬고 계시는데 어떻게 내가 인생을 함부로 살 수 있겠는가? 라준석 목사가 쓴 《행복한 누림》이라는 책에 보면 '온유'를 '고집 꺾기'로 정의했다. 멋진 정의이다. 누가 그 고집을 꺾었는가? 조련사 되시는 하나님이 꺾으셨다. 이것이 바로 '상태로서의 온유'이다.

원수에게조차 선을 베푸는 것

그런가 하면 '행위로서의 온유'는 고린도전서 13장을 통해 살펴볼 수 있다. 고린도전서 13장은 '사랑장'이라고 하여 사랑에 대한 여러 가지 속성을 나열하고 있는데, 그중 가장 먼저 나오는 것이 '오래 참고'이며, 그 다음에 이어지는 것이 '온유하고'이다.

사랑은 오래 참고 사랑은 온유하며 … 고전 13:4

사랑의 속성으로 가장 먼저 언급된 '오래 참고'와 두 번째로 언급된 '온유하고'는 밀접한 관계를 가지고 있다. 여기서 언급된 '오래 참고'를 원어로 보면 이 단어는 환경적인 인내, 이를테면 실직한 상태를 참는 인내, 중병이 들었을 때 참아내는 인내를 말하는 것이 아니다. 여기서 말하는 인내는 관계적인 인내이다. 다시 말해서, 인간관계 속에서 다른 사람에게 받은 상처를 견뎌내는 힘을 가리키는 말이다. 그렇기 때문에 여기서 나오는 '오래 참고'는 '부당한 일을 당해도 보복하지 않는 태도'로 해석할 수 있다.

'온유하고'라는 단어는 기본적으로 '친절함'이라는 뜻을 가지고 있다. 이 단어를 더 깊이 살펴보면 이 단어 안에는 '내게 해를 끼치는 자에게 친절과 선을 베푼다'라는 행위적인 뜻을 포함하고 있다. 그렇기 때문에 앞에 나오는 '오래 참고'가 자신에게 해를 끼친 사람에 대한 소극적인 대처, 즉 그냥 참는 것이라면, 그 다음에 나오는 '온유하고'는 그런 소극적인 대처가 아닌 그런 사람에게조차 적극적으로 선을 베푸는 태도를 말한다. 이것이 바로 '행위로서의 온유'이다.

예수님은 마태복음 11장 29절에서 이렇게 말씀하셨다.

나는 마음이 온유하고 겸손하니 나의 멍에를 메고 내게 배우라
그리하면 너희 마음이 쉼을 얻으리니 마 11:29

여기서 말씀하시는 예수님의 성품, 즉 '온유하고'가 바로 자기에게 해를 끼치는 자에게까지 적극적으로 친절과 선을 베푸는 차원에서의 온유이다. 그래서 예수님이 지신 십자가는 바로 온유의 상징이다. 베드로전서 2장을 보자.

욕을 당하시되 맞대어 욕하지 아니하시고 고난을 당하시되 위협하지 아니하시고 오직 공의로 심판하시는 이에게 부탁하시며 친히 나무에 달려 그 몸으로 우리 죄를 담당하셨으니 이는 우리로 죄에 대하여 죽고 의에 대하여 살게 하려 하심이라 그가 채찍에 맞음으로 너희는 나음을 얻었나니 벧전 2:23,24

예수님은 욕을 당하시되 욕하지 않으셨고 고난을 당하시되 위협하지 않으셨다. 인내를 말하는 것이다. 또 오직 하나님께 모든 것을 맡기시며 친히 나무에 달려 그 몸으로 우리의 죄를 담당해주셨다. 온유를 말하는 것이다. 예수님의 '십자가'는 고린도전서 13장에서 말하는 인내와 온유의 결정체인 것이다. 우리가 아직 죄인 되었을 때, 우리가 아직 원수 되었을때 예수 그리스도께서는 인내와 온유의 결정체인 십자가에서 죽으심으로 우리를 향하신 그분의 사랑을 확증해주셨다(롬 5:8 참조).

'사랑의 원자탄'이라는 별명으로 유명한 손양원 목사님은 자기의 두 아들을 죽인 원수를 용서할 뿐 아니라 그 원수를 자신의 양자로 삼았다. 자기 두 아들을 죽인 원수를 용서하는 것, 이것이 고린도전서 13장에서 말하는 '인내'에 해당된다면, 거기서 그치지 않고 그 아들을 양자 삼아주는 것, 이것이 인내 다음에 나오는 온유에 해당되는 것이다. 이 인내와 온유가 조화를 이룰 때 우리는 이 땅에서 온전한 그리스도인의 삶을 드러낼 수 있다.

따라서 우리에게는 두 종류의 온유, 즉 노련한 조련사 되시는 하나님 손에 붙들려 있는 상태로서의 온유와 내게 해를 끼치는 사람에게조차 친절과 선을 베풀 수 있는 능력인 행위로서의 온유가 모두 필요하다. 그렇다면 우리가 이 같은 성령의 열매로서의 온유를 소유하게될 때 우리에게는 어떤 유익이 있을까? 온유는 우리에게 두 가지 능력을 가져다준다.

온유한 자의 내면에 영적 복구 능력이 있다

먼저는 내적인 힘인데, 온유는 우리에게 영적 복구 능력을 가져다준다. 사실 아무리 훈련을 잘 받은 사람이라도 그것이 곧 '완벽'을 뜻하지는 않는다. 모세는 그의 온유함이 이 땅의 모든 사람보다 더하다는 명예로운 평가를 받았지만, 그렇다고 해서 그것이 그의 완벽함을 증명하는 것은 아니었다.

민수기 20장을 보면, 광야 여정 가운데 백성들이 계속해서 불평불만하며 물을 달라고 요구하자 모세가 지팡이로 반석을 두 번이나 거칠게 내려치며 혈기를 부리는 장면이 나온다.

다윗도 마찬가지다. 다윗은 젊은 시절 사울의 난폭함을 온유함으로 극복해냈다. 그랬던 다윗이 나중에 실족하여 어떻게 되는가? 한 가정을 깨뜨리고 성적인 죄를 범했으며 살인까지 저지르는 말할 수 없는 죄악과 절망의 골짜기로 떨어지고 말았다.

그러나 모세나 다윗이 온유할 수 있었던 것은 그들이 완벽하여 단한 번도 혈기를 부리지 않거나 죄를 짓지 않았기 때문이 아니라 그들의 내적 복구 능력 덕분이었다. 심령이 무너졌을 때 바로 복구할 수 있는 힘이 그들 안에서 일어났기 때문이다.

한때 목회자로서 결코 해서는 안 되는 불륜의 죄를 저질렀던 고든 맥도날드 목사님은 그 죄로 말미암아 모든 것을 다 잃고 절망의 골짜기에 빠졌지만, 후에 거뜬히 치유되고 회복되어 이전보다 더 은혜로운 사역을 감당할 수 있었다. 그때의 아프고 상한 마음을 토대로 주옥같은 글을 써서 많은 사람들을 위로했는가 하면, 미국의 클린턴 전 대통령이 성적인 스캔들을 일으켰을 때 정기적으로 백악관을 찾아가 클린턴 전 대통령과 상담하면서 그의 치유를 도와주기도 했다. 이것이 무엇을 의미하는가? 과거에 빠졌던 추악한 죄악으로부터 그가 완전히 치유되고 회복되었다는 것을 세상 모든 사람으로부터 인정받았다는 것 아닌가? 어떻게 이런 일이 가능했는가? 어느 글에 보니, 고든 맥도날드 목사님이 이런 말을 했다.

"사역을 하다 보면 교인들 중에 정말 끔찍하게 실패하는 사람들을 만나게 된다. 나도 실패했다. 나도 모든 것을 잃은 경험이 뭔지 알고 있다. 그런데 중요한 것은 그 실패의 순간에 하나님이 하시는 말씀이 무엇인지 귀 기울여 들어야 한다는 것이다. 내 경험에 의하면 이 절망과 회개의 순간에 하나님께서는 정말 아름다운 말씀들을 주신다는 사실이다."

무슨 뜻인가? 우리에게는 조련사가 계시다는 것이다. 야생마가 온순하게 잘 길들여지다가 한 번씩 그 야성이 드러나 제멋대로 날뛰면 조련사는 야생마의 고삐를 죄고 다시 훈련을 시켜 이전보다 더 온순하고 잘 길들여진 동물로 만들어간다. 이처럼 우리는 완벽해서 좋은 사람이 아니다. 언제라도 내 안에서 거친 야성이 튀어나올 수 있지만, 그때마다 조련사 되시는 하나님 손에 의해 다시 다듬어지는 것이다. 조련사의 손에 붙들려 있을 때, 그 손으로부터 다시금 회복될 수 있는 내적 복구 능력이 부어진다. 이것이 온유한 자가 누리는 능력이다.

진정한 영향력은 온유에서 나온다

두 번째로 온유가 주는 힘은 외적인 힘으로, 세상을 향한 진정한 영향력의 회복을 가져다준다는 것이다. 예수님은 산상수훈에서 이런 말씀을 하셨다.

> 온유한 자는 복이 있나니 그들이 땅을 기업으로 받을 것임이요
>
> 마 5:5

땅 좋아하는 우리나라 사람들이 이 말씀을 안다면, 아마도 서로 온유하기 위해 애쓸 것이다. 예수님은 온유한 자가 땅을 기업으로 받을 것이라고 말씀하셨다. 이 말씀은 시편 37편 11절 말씀을 인용한 것이기도 하다.

그러나 온유한 자들은 땅을 차지하며 풍성한 화평으로 즐거워
하리로다 시 37:11

성경에서 '땅'이라고 하는 것은 무척 중요한 개념 중의 하나이다. 눈에 보이는 가시적인 것을 통해 눈에 보이지 않는 하나님의 약속을 명확하게 설명하는 도구로 종종 '땅'이 사용되기 때문이다. 창세기 13장에서 하나님이 아브라함에게 주시는 약속도 이 같은 맥락에서 이해할 수 있다.

롯이 아브람을 떠난 후에 여호와께서 아브람에게 이르시되 너
는 눈을 들어 너 있는 곳에서 북쪽과 남쪽 그리고 동쪽과 서쪽
을 바라보라 보이는 땅을 내가 너와 네 자손에게 주리니 영원히
이르리라 창 13:14,15

여기서 하나님이 아브라함에게 약속하신 땅은 일차적으로는 장차 이스라엘 백성들이 누리게 될 가나안 땅을 말한다. 그러나 땅의 개념을 확장해서 생각해보면 이차적으로 이 땅은 하나님나라로 해석할 수 있다.

그렇기 때문에 산상수훈에서 예수님이 말씀하신 '온유한 자가 땅을 기업으로 받는다'는 것은 두 가지로 해석할 수 있다. 하나는 우리가 하나님의 온유를 덧입을 때 하나님나라를 맛볼 수 있다는 것이다. 죽

어서만 하나님나라를 맛보는 것이 아니라 우리가 온유할 때 이 땅에서도 하나님나라를 맛볼 수 있다. 이 말을 뒤집어 생각하면, 하나님나라를 누릴 하나님의 자녀들은 반드시 온유한 사람이 되어야 한다는 뜻이기도 하다.

그런가 하면 두 번째로 생각할 수 있는 이 말씀의 의미는, 세상을 향한 그리스도의 영향력을 뜻한다는 것이다. 예를 들어, 모세가 광야 훈련을 거쳐 '이 세상에서 가장 온유한 자'라는 평가를 얻게 되는데, 40년 동안 광야에서 조련사 되시는 하나님 손에 의해 온유해진 모세의 그 온유의 힘이 어디에 영향을 미치는가? 이스라엘 백성들이 애굽의 압제로 신음할 때 그들을 해방시키는 능력으로 바로 이 온유가 사용되었다.

이런 관점에서 출애굽기를 살펴보면, 출애굽기는 의도적으로 모세의 '온유함'에 대조되는 개념 하나를 등장시킨다. 그것이 무엇인가? 바로의 '완악함'이다. 출애굽기 전반에 걸쳐서 바로의 완악함이 모세의 온유함과 대치하고 있다. 따라서 출애굽기는 조련사 되시는 하나님 손에 의해 다듬어진 모세의 온유함과 세상을 상징하는 바로의 완악함, 이 두 세력의 대결로도 볼 수 있다.

여기서 우리가 얻을 수 있는 교훈은 무엇인가? 오늘날도 이 세상은 마치 모든 권력과 물질과 힘을 다 쥐고 있던 애굽의 바로처럼 완악함으로 교회와 하나님의 사람을 위협하고 있다. 우리는 이런 현실에 어떻게 맞서야 하는가? 우리가 더 큰 힘을 기르고 더 많은 돈을 모으고 더 강대한 왕국을 세워 세상과 맞서야 하는가? 그것은 하나님이 원하시는 방법이 아니다. 출애굽기에서 바로의 완악함에 대항했던 힘은 그런 것이 아니었다. 강력한 권력에 기댄 바로의 완악함에 결코 대항할 수 없을 것 같았던 모세의 온유함, 조련사 되시는 하나님 손에 다듬어진 모세의 그 온유함이 결국 바로의 완악함을 이긴다는 것이 출애굽기에 담긴 하나님의 교훈이다. 우리는 이 사실을 기억해야 한다.

교회가 회복해야 할 진짜 영향력

얼마 전에 안양시 기독교연합회와 안양시의 합의를 통해, 밤 11시 이후에는 안양 상가의 붉은 십자가 불을 다 끄기로 했다는 기사를 봤다. 그뿐 아니라 낙후되어 붕괴 위험이 있는 십자가 종탑도 다 철거하기로 했다고 한다. 이 일에 대해 각 신문마다 온통 칭찬 일색이다. 심하게 말해서 "교회가 이제 정신을 차리는 것 같다"는 논조이다. 어느 일간지는 이 기사에 대한 머리기사로 "빛 공해, 십자가 불빛 꺼진다"라고 달아놓았다. 어쩌다가 우리 주님의 십자가가 공해가 되어버렸는가? 이렇게 만든 것이 누구인가? 바로 우리다. 우리는 이 문제에 대해 회개하고 반성해야 한다.

상가 건물 높이 붉은 색 십자가 불빛을 밝혀놓는 것, 남산에서 내려다보면 온통 붉은 십자가가 대한민국을 점령한 것 같은 그 광경을 자랑하는 것이 하나님이 원하시는 영향력이겠는가? 우리가 가져야 할 영향력은 그런 것이 아니다. 우리는 비록 힘도 없이 권력도 없이 광야로 쫓겨난 모세 같은 존재지만, 우리에게 있는 단 하나, 조련사 되시는 하나님으로 말미암아 온유한 존재로 훈련되어 그 온유함이 세상의 완악함을 이기는 힘이 된다는 것을 보여주는 것, 바로 이것이 우리가 회복해야 할 영향력이다. 지금까지 우리는 바로 이 부분에서 실패해 왔다.

오늘날 우리 교회는 붉은 십자가 불빛으로 세상을 가득 채우는 것이 아니라 하나님의 광대하심으로 가득 채워야 한다. 완악했던 우리를 온유한 존재로 훈련시키신 그 하나님의 광대하심을 이 땅에 선포해야 한다. 그래서 하나님 손에 훈련된 하나님 사람의 온유함이 세상의 완악함을 이기는 힘이 된다는 사실을 보여주어야 한다. 그것이 바로 교회가 해야 할 일이며, 교회가 회복해야 할 진짜 영향력이다.

온유가 세상을 이기는 능력이 된다!

우리가 세상을 향한 진짜 영향력을 회복하기 위해서는 우리가 먼저 온유의 능력을 경험해야 한다. 모세의 온유함이 바로의 완악함을 이긴다는 사실을 우리가 먼저 경험해야 한다. 그러기 위해서는 반드시 성령님을 사모해야 한다. 온유는 내 안에서 나오는 힘이 아니라 성령님이 주시는 능력이기 때문이다.

그리고 십자가를 더 가까이 붙잡아야 한다. 인내와 온유의 결정체인 십자가 정신이 내 안에 더 깊이 각인될 때 온유의 능력이 살아날 것이다. 내게 아픔을 주고 상처를 주는 사람에게조차 배려와 호의를 베푸는 것이 주님이 지신 십자가의 정신이다. 바로 이 태도가 우리 크리스천들이 가져야 할 태도 아닌가?

성령의 사람은 결코 완악할 수 없다. 주님의 교회 역시 결코 완악할 수 없다. 성령의 사람은 무엇보다 온유의 사람이다. 크리스천 중에도 그 기질이 여전히 완악한 사람들이 있다. 아무것도 아닌데 혈기를 부린다. 그런 완악함을 볼 때 나는 그 사람을 절대 신뢰하지 않는다. 왜냐하면 성령의 사람은 온유의 사람이기 때문이다. 하나님의 모든 백성들이 완악함을 벗고 온유로 덧입혀지는 성령의 능력을 경험하는 은혜가 있기 바란다. 온유가 세상을 이기는 능력이 된다!

절제에 성공하는 자가
인생에 성공한다

공자의 제자 중에 자장과 자하라는 두 제자가 있었다. 자장은 재주
가 많고 성격도 적극적이어서 다른 제자들 사이에서 인기가 꽤 높았
다. 그런데 흥미로운 것은 나서기 좋아하는 자장에 대해 주변 사람들
은 가까이 사귀기는 원하지만 공경하지는 않는다는 것이었다. 한편,
자하는 성격이 자장과 정반대였다. 외유내강의 강직하고 의로운 성격
이었으나 무척 내성적이고 소극적이어서 나서기를 싫어했다.

어느 날, 공자의 다른 제자가 이 두 사람을 놓고 스승에게 이렇게 물
었다.

"자장과 자하 중에 누가 더 현명합니까?"

그러자 공자가 이렇게 대답했다.

"자장은 지나치고 자하는 미치지 못한다."

"그렇다면 자장이 더 낫다는 것입니까?"

제자가 다시 질문했다. 그러자 공자가 대답하기를 "과유불급(過猶不及)이라. 지나침은 미치지 못함과 같으니라"라고 했다고 한다. 이것이 우리가 잘 아는 '과유불급'이라는 사자성어의 유래이다.

넘치는 것을 경계하라

그런가 하면 '계영배'(戒盈杯)라고 부르는 술잔이 있는데, 이 술잔의 이름은 '넘침을 경계하는 잔'이라는 뜻이다. 이 술잔은 특이한 이름만큼이나 특이한 구조를 가지고 있는데, 술잔에 술을 70퍼센트 이상 따르게 되면 술이 모두 새어나가게 되어 있다고 한다. 인간의 끝없는 욕심을 경계하는 의미에서 이런 구조의 술잔을 만들게 되었다고 하는데, 알려진 바로는 조선시대의 유명한 거상 임상옥이 계영배를 늘 가까이 두고 인간의 탐욕을 경계하는 도구로 사용했다고 한다.

목사인 내가 술잔을 가까이 해서는 안 되겠지만 가끔씩은 나도 '계영배'를 만들어서 가까이 두면 좋겠다는 생각을 하곤 한다. 내게도 인간의 탐욕을 경계할 무언가가 절실하기 때문이다.

우리가 사는 이 시대는 뭐든지 넘치는 시대이다. 옛날 6,70년대 때는 모자람의 시대라서 고통 받았다면, 지금은 오히려 넘쳐서 고통인 시대이다. 그렇기 때문에 성령의 열매 가운데 마지막 열매인 '절제'가

이 시대에 더욱 특별한 의미를 갖는다.

절제에 대해 생각하고 묵상하는데, 한 가지 의문이 들었다. '왜 우리 인생은 절제의 미덕을 실천하는 것이 이렇게도 힘든 것일까?' 하는 의문이었다. 그러다 문득 깨닫게 된 것이 우리의 인생이 절제 불가능하다는 것이 우리의 죄성(罪性) 때문이라는 것이다. 절제할 수 없다는 것 자체가 하나님께 불순종한 우리의 죄성에 대한 형벌의 열매인 것이다. 그리고 그 연약한 틈을 노리고 사탄이 계속 공격을 해오기 때문에 우리가 그것을 견뎌내지 못하는 것이다.

탐욕의 존재, 인간

언젠가 이런 우스갯소리를 들은 적이 있다. 어느 날 돼지들이 인간들에게 항의하는 사태가 벌어졌다고 한다. 많은 사람들이 과식하는 사람들을 향해 '돼지같이 먹는다'라고 말하며 욕을 하는데, 그것이 돼지들 입장에서는 억울하다는 것이다. 사실 돼지는 자기 위장의 7,80퍼센트가 차면 더 이상 음식을 먹지 않는다고 한다. 이렇게 절제를 잘하는 돼지 입장에서 절제 못하고 과식하는 사람들을 보고 "돼지처럼 먹는다"고 하니 억울할 만하기도 하다.

돼지만 절제를 잘하는 게 아니다. '동물의 왕국' 같은 TV 프로그램을 보면 사자와 사자의 먹잇감인 얼룩말 같은 초식동물이 함께 노니는 장면이 종종 나온다. 어찌된 영문일까? 많은 사람들이 아는 것처럼, 사자는 생존을 위해 배가 고플 때만 다른 동물을 잡아먹는다. 그 사실을 다른 동물들도 알기 때문에 지금 사자가 배가 부르다는 사실을 알면 안심하고 함께 거니는 것이다. 만약 사자 같은 맹수들이 인간처럼 탐욕을 가지고 있었다면 아프리카 초원은 아마 시체 썩는 냄새로 진동할 것이다.

배가 불러 곧 터질 지경이 되더라도 끝없이 먹잇감을 죽이려는 것이 인간의 탐욕이다. 이렇게 탐심과 탐욕으로 가득 차서 자기통제가 안 되는 존재는 인간밖에 없다. 이것이 형벌이 아니고 무엇인가? 이런 맥락에서 이 시대가 무엇이든 차고 넘치는 것은 그 자체가 우리를 향한 영적 공격이 아닐까 하는 생각도 든다.

아무리 좋은 것도 절제하지 않으면 재앙이 된다

존 내이쉬(John Naish)가 쓴 책 《이너프》를 보면, '대마초보다 무서운 정보 중독'이라는 항목의 목차가 있다. 내용을 보니 이렇다.

1996년 데이비드 루이스라는 신경과학자가 새로운 사회적 질병 하나를 발견하여 이름을 붙였는데, 그 이름이 '정보 피로 증후군'이라고 한다. 이 병의 증상은 불면증, 원활하지 못한 대인관계, 뭔가를 결정할 수 없는 우유부단한 태도 등인데, 이 모든 것이 정보과다에서 온 스트레스 때문이라는 것이다. 그러면서 그 책은 "런던 대학교 연구진은 정보과다가 대마초보다 더 심한 환각 증세를 일으킬 수 있다고 지적한다"고 밝혔다.

우리가 대마초를 하지 않는다고 해서 건강한 인생을 사는 것이 아니다. 오늘날 이 시대는 조금만 방심하고 절제하지 못하면 내 앞에 흘러넘치는 정보에 의해 자신도 모르는 사이에 중독 환자가 될 수 있다. 아니나 다를까 어느 기사에서는 최근 우리나라에 수면장애, 다시 말해 밤에 잠을 이룰 수 없는 불면증 환자가 급증했다고 한다. 더 심각한 것은 불면증은 원래 50대 이상의 노인들에게 주로 오는 증상인데 지금 우리나라는 2,30대 불면증 환자가 급증하고 있다는 것이다. 왜 젊은 청년들이 수면장애로 고통 받고 있는가? 그 원인이 스마트폰을 비롯한 첨단 전자기기의 영향이라는 것이다.

이 같은 사실이 무엇을 말하는가? 무엇이든 넘쳐서 문제인 과잉의 시대를 사는 우리가 '절제'라는 덕목을 소지하지 않으면 그 넘침이 오히려 우리에게 재앙이 된다는 것이다.

절제가 어려운 시대

나는 설교를 준비할 때 종종 우리 아버지 세대를 떠올린다. 사실 지금은 설교 준비하는 것이 그다지 어렵지는 않다. 컴퓨터를 통해서 원하는 자료를 손쉽게 찾을 수 있기 때문이다. 그렇게 문명의 이기를 누리면서 설교를 준비하다 보면 '60년대 우리 아버지는 설교 준비하시는 것이 얼마나 힘드셨을까? 그때는 자료도 별로 없었고 찾기도 힘들었을 텐데' 하는 생각이 든다.

그러나 이렇게 편하고 풍요로운 가운데 목회가 이루어지고 있는 세대인데, 어찌된 영문인지 이 시대에는 60년대의 그 깊고 끈끈했던 영성이 잘 안 나타난다. 변변한 자료도 없이 모든 것이 불편했던 그 시절에 우뚝 솟은 영적 거장들이 얼마나 많았는가? 그에 반해 오늘날은 거장이라고 부를 만한 영적인 거목이 쉽사리 눈에 띄지 않는 실정이다.

이 같은 결과가 말해주는 것이 무엇인가? 정보 과잉, 풍성한 자료, 컴퓨터뿐 아니라 손 안에 쥘 수 있는 스마트폰 같은 것들이 결코 우리 영성에 유익한 것이 아님을 알 수 있다. 그래서 우리는 항상 이런 것들을 경계해야 한다.

나는 우리 시대의 자녀 교육에 있어서 가장 중요한 덕목이 '절제'라고 확신한다. 절제 훈련이 안 되면 그 아이가 아무리 좋은 대학 나오고 선진국으로 유학을 가서 좋은 교육을 받는다 해도 절대로 그 아이에게 유익하지 않다. 이 사실을 간과한 탓에 오늘날 많은 가정에서 가슴 아픈 일들이 벌어지는 것이다.

이처럼 절제가 절대적으로 요구되지만 어느 때보다 절제가 어려운 시대인 까닭에 오늘날 우리 시대는 성령님을 절대적으로 의지해야 하는 시대이다. 절제는 결코 내 안에서 나오는 것이 아니기 때문이다. 죄성을 가진 우리는 탐욕의 본능을 가졌다. 그렇기 때문에 성령님이 주시지 않으면 우리 스스로는 절제의 열매를 맺을 수 없다. 절제는 성령의 열매인 동시에 성령님의 선물인 것이다. 따라서 우리는 더욱 성령님을 의지하고 갈망해야 하며, 성령님이 주시는 절제의 열매가 우리 삶에 온전히 맺히도록 간구해야 한다.

감정과 입술과 탐욕의 절제를 구하라

그렇다면 우리는 구체적으로 어떤 부분에서 절제가 필요한가? 물론 모든 영역에서 절제가 요구되지만 그중에서도 핵심적인 부분을 세 가지로 정리해보자.

첫째, 우리의 감정이 성령님에 의해 통제되고 절제되어야 한다.

오늘날은 감정 과잉의 시대이다. 그래서 우리는 잠언 25장 28절 말씀을 기억해야 한다.

> 자기의 마음을 제어하지 아니하는 자는 성읍이 무너지고 성벽
> 이 없는 것과 같으니라 잠 25:28

성읍이 무너지고 성벽이 없어져버렸는데 아무리 목회 잘하고 사업 잘한다 해도 무슨 소용이겠는가? 그래서 매일 새벽마다 내가 하나님께 부르짖는 기도제목 중의 하나가 이것이다.

"하나님, 오늘도 제 마음을 다스려주소서. 제 감정이 성령님에 의해 통제되기를 원합니다!"

둘째, 우리 입술이 성령님에 의해 통제되고 절제되어야 한다.

지금 이 시대는 소셜 네트워크 서비스(SNS) 시대를 맞아서 그야말로 말이 넘쳐나는 시대이다. 트위터(Twitter)나 페이스북(Facebook)과 같은 곳에 가보면 저마다 자기 의견과 주장을 내세우는 말들로 홍수를 이룬다. 이런 시대일수록 우리는 침묵해야 한다. 글 쓰고 싶은 것,

댓글 달고 싶은 것, 뭔가 말하고 싶은 욕구를 절제할 수 있어야 한다. 말이 넘쳐나는 이 시대는 역설적으로 어느 때보다 침묵이 필요한 시대이다.

셋째, 우리의 물질적 탐욕이 성령님에 의해 통제되고 절제되어야 한다.

예수님이 가르쳐주신 주기도문에 보면 "오늘 우리에게 일용할 양식을 주시옵고"(마 6:11)라고 구하는 부분이 있는데, 이 말씀에는 여러 가지 깊은 의미가 담겨 있다. 먼저는 일용할 양식을 공급해주시는 주님에 대한 신뢰도 포함되어 있지만, 그와 함께 오늘 내게 일용할 양식이 주어졌을 때 그것으로 자족할 수 있는 감사의 태도가 포함되어 있다. 즉, 이 기도 안에 자족훈련의 내용이 담겨 있다.

구약의 출애굽 시대 때, 하나님께서는 광야를 헤매는 이스라엘 백성들을 굶기지 않으셨다. 하나님은 만나와 메추라기를 풍성히 내려주셨는데, 한 가지 이상한 조치를 취하셨다. 만나를 딱 그날 먹을 만큼만 거두게 하신 것이다. 만나를 아무리 많이 거두어서 실컷 먹고 남은 것을 모아다가 '이건 내일 먹어야지' 하고 내일까지 가면 모두 썩어버리고 말았다. 게다가 모세는 그런 사람들을 향해 몹시 화를 냈다(출 16:20 참조). 이것이 무엇을 의미하는가?

이스라엘 백성에게 있어서 광야훈련은 자족훈련, 곧 절제훈련이었던 것이다. 먹을 것이 아무리 많아도 내가 먹을 양만큼만 취하고 나머지를 포기할 수 있는 힘, 이것을 기르는 것이 광야훈련이다. 오늘날 우리는 이 훈련이 너무나 안 되어 있다. 어떻게 해서든 조금이라도 더 많이 모아다가 곳간에 쌓아두고 그것도 모자라 남의 것까지 빼앗으려는 탐욕적인 시대에 우리 자신도 모르게 물들어 있지 않은가? 우리는 하나님 앞에서 자족훈련을 회복해야 한다.

우리에게는 이 세 가지 절제, 즉 감정을 절제하고 입술을 절제하고 물질적 탐욕을 절제할 수 있는 은혜가 필요한데, 이 능력은 내 안에서 나오는 것이 아니라 성령님을 의지할 때 주어지는 것이다. 그렇다면 절제할 수 있는 힘을 얻기 위해서 우리는 구체적으로 무엇을 어떻게 해야 하는가?

절제의 능력은 하나님 안에 거할 때 나온다

먼저 절제할 수 있는 힘이 어디서 나오는지를 분명히 알아야 한다. 이 힘은 우리가 하나님 영역 안에 거할 때 얻을 수 있다.

'절제'를 원어로 보면 '에크라테이라'라는 단어인데, 이 단어는 '무엇 안으로'라는 뜻의 '엔'이라는 접두어와 '힘, 가능성'을 뜻하는 '크라토스'의 합성어이다. 그래서 이 단어를 직역하면 '통치자의 영역 안에 있음'이라는 뜻이 된다. 의외이지 않은가? 우리가 잘 아는 '스스로 통치하다'(self control)라는 뜻의 '절제'가 실은 '통치자의 영역 안에 있다'라는 뜻이라니 말이다. 이것이 무엇을 의미하는가? 내가 통치자 되시는 하나님 안에 거하는 상태일 때라야 비로소 '절제'가 가능하다는 것이다.

그러고 보면, 사사 시대가 폭력과 타락이 난무하고 자기통제와 절제가 안 되는 불행한 시대가 되고 만 것 역시 하나님의 통치 아래 있기를 거부하고 자기 소견에 옳은 대로 행했기 때문이 아닌가? 절제는 자기 자신을 하나님 영역 안에 둘 때 비로소 행할 수 있는 능력이다.

오늘날 교회 안에 절제가 안 되어 혈기 부리는 사람이 얼마나 많은가? 흡사 깡패 같은 사람이 한두 명이 아니다. 그런데 교회 안에서 혈기 부리는 사람들, 비판을 쏟아내는 사람들의 말을 들어보면 사실 틀린 말이 아니다. 다 옳은 이야기다. 문제는, 그 옳은 이야기가 성령의 통제 아래 있지 않고 자기통제가 안 되는 난폭한 그릇에 담겨 사용되는 까닭에 그것이 독이 된다.

이것은 부부관계에서도 마찬가지다. 부부싸움을 할 때 녹음기를 틀어놓고 한번 서로가 하는 말을 녹음해보라. 다시 들어보면 틀린 말 하나 없을 것이다. 주옥같은 메시지가 부부싸움 가운데 담겨 있다. 그 내용을 가지고 '부부싸움 잠언집'이란 책을 내면 어쩌면 베스트셀러가 될지도 모른다.

이것이 무엇을 말하는 것인가? 부부싸움을 할 때 틀린 말, 잘못된 말을 해서 상대방을 격분시키는 것이 아니다. 쌍방 간에 다 옳은 이야기를 한다. 그런데 그것이 하나님 영역 아래 있지 않고 절제라는 그릇에 담기지 않으니까 우리가 던지는 그 옳은 말에 상대방이 상처를 받는 것이다. 즉, 우리의 말이 아니라 우리의 태도에 배우자가 상처를 받는 것이다. 그렇기 때문에 절제가 그만큼 중요한 것이다.

내 능력으로는 절제가 불가능하다

성령님에 의해 통제가 이루어지지 않고 절제가 없어서 망하고 만 대표적인 인물이 구약의 사울 왕이다. 사무엘상 19장을 보면 그는 아무 이유 없이 질투의 화신이 되어 자신과 나라를 위해 큰 공을 세운 다윗을 죽이려고 혈안이 되어 있다. 그의 아들 요나단이 그런 아버지를 보다 못해 눈물로 호소하는 지경에까지 이른다.

"아버지는 어째서 아무런 잘못도 하지 않은 다윗을 죽이려고 하십니까? 제발 그에게 죄를 짓지 마세요. 그는 나라가 위기를 만났을 때 자기 생명을 아끼지 않고 골리앗을 죽였으며 이스라엘을 구해냈습니다"(삼상 19:4,5 참조).

사울은 아들의 말에 감동을 받아 이렇게 맹세한다.

사울이 요나단의 말을 듣고 맹세하되 여호와께서 살아 계심을
두고 맹세하거니와 그가 죽임을 당하지 아니하리라 삼상 19:6

더 이상 다윗을 죽이려고 하지 않겠다는 맹세였다. 그러나 사울은 아들 앞에서 그렇게 맹세했음에도 불구하고 성경 몇 구절 지나지 않아 또 다시 창을 던져 다윗을 죽이려 했다. 여기에 사울의 비극이 있다. 그런데 성경은 그 과정을 묘사하는 데 있어서 의미심장한 한마디를 덧붙인다.

사울이 손에 단창을 가지고 그의 집에 앉았을 때에 여호와께서
부리시는 악령이 사울에게 접하였으므로 다윗이 손으로 수금
을 탈 때에 사울이 단창으로 다윗을 벽에 박으려 하였으나

삼상 19:9,10

성경에서 사울이 자기 아들과 한 약속을 까맣게 잊고 다윗을 또 다
시 죽이려고 하는 과정을 어떻게 묘사하는가? 보이지 않는 영적 세계
에서 벌어지는 일을 설명하면서 악령이 그를 충동질했다고 밝히고 있
다. 이것으로 볼 때, 사울이 자신을 통제할 수 없었던 것은 영적으로
악령의 공격을 받을 때 방어할 힘이 없었기 때문이다. 왜 방어할 힘이
없었는가? 하나님의 영역에서 이탈해 있었기 때문이다.

공격을 막아주는 힘이 은혜다

이것에 대해 묵상하다 보니 '은혜'에 대한 놀라운 정의가 하나 내려
졌다. 은혜는 다른 것이 아니다. 우리의 본능을 향한 악한 영의 공격이
있을 때 그것을 막아주는 힘이 은혜이다. 악령이 우리를 공격할 때 그
것에 대항할 수 있는 힘을 주는 것, 이것이 바로 은혜다. 이 은혜가 없
었기 때문에 사울은 비참한 자리에 빠지고 말았다. 그리고 이런 일은
오늘날에도 비일비재하게 일어나고 있다.

예를 들어보자. 오늘날 대한민국이 겪고 있는 수치 가운데 하나가
무엇인가? 5년에 한 번씩 정권이 바뀔 때마다 연례행사처럼 치르는

일이 있다. 측근 비리이다. 무슨 공식처럼 대통령의 임기 마지막 해가 되면 가장 가까운 측근들의 비리가 탄로나 감옥에 들어가는 일이 반복되고 있다. 한번 생각해보라. 지금껏 선례에 비추어봤을 때 초등학생만 되도 '내가 이 뇌물을 받으면 감옥 간다'는 사실을 알 수 있다. 그런데도 그 뇌물을 거절하지 못하고 결국 감옥행으로 길을 정하고 만다. 어떻게 된 일인가? 그것은 뇌물을 받으면 감옥에 간다는 사실을 몰라서 그렇게 된 것이 아니다. 알지만 통제할 힘이 없기 때문이다.

불륜도 마찬가지 아닌가? 불륜을 저지르고 있는 사람 중에 불륜이 진정한 행복을 가져다 준다고 믿는 사람은 아마 거의 없을 것이다. 불륜이 결국 가정을 깨뜨리고 자기 자신까지 비참하게 만든다는 사실을 그들도 알고 있다. 그런데도 왜 여전히 불륜의 자리에 있는가? 통제할 힘이 없기 때문이다. 이 사실이 얼마나 중요한지 모른다.

나는 항상 내 인생의 말로(末路)가 두렵다. 지금까지는 조심조심하면서 무사히 잘 왔지만 목회에서 은퇴할 때까지, 그리고 이 땅을 떠나 하나님나라로 갈 때까지 이것을 유지할 수 있다는 보장이 없다. 그 힘은 내게서 나오는 것이 아니라 성령님으로부터 나오는 것이다. 그래서 불철주야 내 기도제목은 이것이다.

"하나님 은퇴할 때까지 하나님의 종으로서 사고치는 일 없게 해주세요. 은퇴할 때까지, 이 땅을 떠나 하나님 품에 안기는 그날까지 저를 믿어주는 성도들에게 실망 안겨주는 일 없게 주님이 도와주세요."

자신이 없기 때문에 기도하는 것이다. 우리 모두 마찬가지일 것이다. 한평생 자녀들 앞에 부끄럽지 않은 부모가 되기 원한다면 기도해야 한다. 그리고 성령님을 갈망해야 한다. 성령님을 갈망할 때 성령께서 내 안에 통제할 수 있는 능력을 주신다.

자기절제에 성공한 세례 요한

자기절제에 실패해서 결국 패망의 길을 걸었던 사울과 달리 절제에 성공하여 성공한 대표적인 인물이 있는데, 그가 바로 세례 요한이다. 세례 요한은 정말 대단한 인생을 살았다. 모든 사람이 '이 시대의 진정한 영성의 인물'이라고 추앙하며 떠받들어 인기가 그야말로 급상승했다. 나중에는 '저 사람이 메시아일지도 몰라!'라는 평판을 들을 정도로 그 인기와 신뢰가 대단했다.

한번 생각해보라. 아무리 유명한 목사가 설교를 아무리 잘해도 사람들에게 받는 최고의 찬사는 "그 목사님 정말 설교 잘해"라거나 "성격이나 인품도 좋은 것 같아" 정도일 것이다. 아무리 설교 잘하고 뛰어난 목사일지라도 "내가 지켜본 바로는 저 목사님이 메시아인 것 같아"라는 평가를 받는 사람 있는가? 아무도 없다. 또 그렇게 생각하는 사람도 아무도 없다.

그런데 세례 요한은 당시 메시아일지도 모른다는 사람들의 평가와 신뢰를 얻었다. 그런 상황에서 그가 자신의 위치를 알고 그 위치에 맞게 절제하는 일이 쉬웠겠는가? 그러나 그는 이렇게 고백했다.

내가 말한 바 나는 그리스도가 아니요 그의 앞에 보내심을 받은 자라고 한 것을 증언할 자는 너희니라 신부를 취하는 자는 신랑 이나 서서 신랑의 음성을 듣는 친구가 크게 기뻐하나니 나는 이 러한 기쁨으로 충만하였노라 요 3:28,29

무슨 뜻인가? 사람들이 말하는 것처럼 자신은 주인공이 아니라는 것이다. "나는 신랑이 아니라 들러리에 불과하다. 그리고 그 들러리 역할만으로 충분하다"는 고백이다. 이런 놀라운 절제, 자신의 자리를 철저히 지킬 수 있는 힘이 어디서 나왔는가? 그것은 하나님의 영역 안에 거하는 자들에게 주어지는 힘이다.

그래서 우리의 영성을 점검하는 잣대 중의 하나가 '자기 통제가 얼마나 잘 이루어지는가?' 하는 것이다. 아무리 놀라운 은사를 받았다 해도 절제할 줄 모르고 여기저기 천방지축 돌아다니면 그는 성령의 사람이 아니다. 성령의 사람은 자기 통제가 가능한 사람이다. 절제할 줄 아는 사람이다. 성령의 사람은 누가 추켜세우고 떠받든다고 해서 그 말에 좌지우지되는 사람이 아니라, 자신의 자리를 분명히 알고 그 자리에 만족하며 절제할 줄 알았던 세례 요한과 같은 사람이다.

육체의 가시를 은혜로 받을 줄 아는 믿음

바울도 마찬가지다. 그가 하나님의 일을 얼마나 많이 했는가? 심지어 죽은 사람을 살려내기까지 했다. 하나님이 주신 놀라운 은사와 능력으로 수많은 병자들을 고쳤지만 정작 자기 육체의 심각한 질병은 고침 받지 못했다. 하나님도 무심하시지 다른 사람들 병은 다 그를 통해 고쳐주셨는데, 그의 병은 아무리 기도해도 고쳐주지 않으셨다. 아마 보통 사람 같았으면 그런 하나님께 실망하고 돌아섰을지도 모른다. 그러나 사도 바울은 이 일에 대해 이렇게 고백했다.

> 여러 계시를 받은 것이 지극히 크므로 너무 자만하지 않게 하시려고 내 육체에 가시 곧 사탄의 사자를 주셨으니 이는 나를 쳐서 너무 자만하지 않게 하려 하심이라 고후 12:7

바울의 이 고백을 읽고 내가 얼마나 큰 충격을 받았는지 모른다. 자기를 괴롭히는 육신의 고통, 그에 대해 아무리 기도해도 하나님은 응답해주지 않으셨다. 이럴 때 그는 이것을 어떻게 해석하는가? 자신이 받은 은혜가 지극히 크고 많은 까닭에 하나님이 주신 절제 훈련의 장치로 받아들이는 것이다.

오래 기도해도 병이 낫지 않을 때, 사업이 잘 안 되는 가운데 도움을 주시도록 기도하는데도 물질의 회복이 이루어지지 않을 때, 우리가 당하는 그 난감한 고통이 우리를 겸손과 절제의 사람으로 만드시기 위한 하나님의 손길이라는 것을 볼 수 있는 눈, 그것이 바로 영성이다. 우리 모두 이런 영성을 갖게 되기를 바란다.

절제를 위해 훈련해야 한다

두 번째로 우리가 절제의 사람이 되기 위해 훈련해야 한다. 절제의 사람은 태어나는 것이 아니라 만들어지는 것이다. 우리는 이 사실을 반드시 명심해야 한다. 그래서 사도 바울은 디모데전서에서 이런 권면을 했다.

> 망령되고 허탄한 신화를 버리고 경건에 이르도록 네 자신을 연
> 단하라 딤전 4:7

개역한글성경에 보면 이 부분이 "오직 경건에 이르기를 연습하라"고 되어 있다. 오늘날 많은 사람들이 훈련과 연습의 중요성을 간과한다. 오늘날 교회에 잠재된 위험성 중 하나가 무엇인지 아는가? 너무 많은 사람들이 감동을 받기 위해 예배에 나온다. 예배는 감동 받는 시간이 아니라 결단하는 시간이다. 결단이 훈련으로 이어지는 시간이 되어야 한다. 하나님의 영역 안으로 들어가고자 하는 결단, 그리고 그 결단을 가지고 훈련을 통해 연습하는 과정이 우리에게 반드시 필요하다. 앞에서 언급했던 사울 왕을 보라. 요나단의 눈물어린 호소에 감동받고 잠깐 결단했으나 그 감동이 식고 나니 다시 옛 모습니다. 감동을 받고 감정이 뜨거워졌으면 어떻게 해야 하는가? 사울은 하나님 영역 안으로 들어가야 했다. 한 1년 정도 왕 권한 대행을 세우고 모세처럼 광야로 들어가는 정도의 결단과 함께 치열한 영성훈련, 절제훈련을

했어야 했다. 훈련이 안 되면 아무리 감동을 받아도 소용이 없다. 가슴이 뜨거워졌다가 식어버리면 도로 옛 모습 그대로이다.

오늘날 교회의 예배를 보면 꼭 이런 형국이다. 일주일에 한 번씩 교회에 나와 감동을 받고 가슴이 뜨거워지는 것을 경험하고 눈물 흘리다가 한 몇 시간 지나면 받은 은혜 다 쏟아버리고 제멋대로 산다. 그러다 죄송스런 마음에 다시 교회에 와서 눈물 흘리는 악순환의 연속이다. 이런 모습으로는 절대 변화가 일어나지 않는다. 훈련해야 한다. 이를 악물고 훈련해야 한다.

연약한 부분을 훈련하라

우리 교회에서는 선물이나 돈 봉투를 받지 않는다. 받지 않는 정도가 아니라 성도들에게 그에 대해 정기적으로 강조하며 상기시킨다. 게다가 식사 대접 받는 것조차 꺼린다. 어떤 분들은 너무 경직된 태도가 아니냐고 지적하기도 한다. 그 지적이 옳을지도 모르겠다. 하지만 내가 그렇게까지 하는 이유가 있다. 나 자신이 돈에 약하고 대접 받는 것에 약하기 때문이다.

누가 봉투라도 가져다주면 그렇게 기쁠 수가 없다. 그 돈을 나에게 주는 것도 아니고 복지재단을 비롯한 다른 곳에 전해달라는 것인데도 나는 정말 기쁘다. 그렇기 때문에 내가 시무하는 교회에서 봉투 받지 말자고 그렇게 몸부림치는 것이다. 만약 내가 돈에 자유할 수 있다면 봉투가 얼마나 따뜻한 사랑의 표현으로 사용될 수 있겠는가?

예전에 지방에서 교육전도사로 사역할 때의 일인데, 지금도 잊히지 않는 어느 새벽의 일이다. 새벽예배를 드리시던 할머니 한 분이 꼬깃꼬깃 접힌 정말 다 구겨진 천 원짜리 두 장을 바지 깊숙한 곳에서 꺼내시더니 그것을 또 한참을 펴신 다음에 내 손에 쥐어주셨다. "전도사님, 이것 가지고 뭐 좋은 데 쓰세요"라고 하시면서 말이다. 그 돈을 잘 보관했어야 하는데, 그때는 철이 없어서 사용해버린 것이 지금도 두고두고 안타깝다. 얼마나 아름다운 사랑인가?

그런데도 교회를 개척하면서 봉투 안 주는 교회가 되도록 한 이유는 사랑으로 받은 2천원, 3천원이 죄가 되지는 않겠지만 자칫 방심하면 돈 좋아하는 내가 통제 안 되는 까닭에 2천원이 2만원 되고, 2만원이 20만원이 될까 두렵기 때문에 스스로 엄격하게 통제하는 장치를 마련한 것이다. 선물을 받지 않겠다고 선포한 것 역시 마찬가지다. 성도들이 내게 주는 선물이 사랑의 선물인 것을 내가 왜 모르겠는가? 그러나 그 선물 받는 것이 내 삶에 익숙해지면 절제가 안 될 수 있기 때문에 봉쇄하려는 것이다. 이런 것이 훈련이다.

누군가를 물질로 돕는 일도 마찬가지다. 부끄러운 이야기지만 어느 선교사님을 돕는다든지 장학금을 기탁한다든지 할 때 아깝지 않은 적이 없다. '내가 꼭 이렇게까지 해야 하나?'라는 생각이 들기도 한다. 심지어는 10만원 전하고 나면 '5만원만 줄 걸', 5만원 전하고 나면 '3만원만 줄 걸' 하는 생각이 들면서 아깝다는 생각을 하기도 한다. 아까우면 안 주면 되는 것 아닌가? 하지만 이런 걸 아까워하는 미숙한 성품이기 때문에 이를 악물고 해야 하는 것이다. 이것이 경건의 훈련이기 때문이다. 그래서 나는 기를 쓰고 물질을 흘려보내기 위해 더 노력하고 있다.

분당우리교회가 창립 10주년을 맞아 그 기념으로 인도에 학교를 세우자는 목표를 가지고 구호단체인 '월드비전'과 연대하여 '동전 모으기' 헌금 모금을 시작했다. 그 과정에서 학교 2개 세우는 것을 목표로 해야 하나, 하나 세우는 것을 목표로 해야 하나 하는 고민을 하고 있는데, 어느 분이 고민하지 말라면서 지금까지 월드비전에서 여러 교회에서 헌금을 모아봤지만 지금까지 학교 두 개를 세울 수 있는 헌금이 모인 적이 없다는 것이다. 그런데 웬일인가? 헌금을 계수해봤더니 인도에 학교를 세 개 세울 수 있는 큰 헌금이 나왔다.

그리고 그중에 어떤 분이 3천5백만 원이라는 거금을 헌금하셨다. 그 분이 누군지 모르지만 이분이라고 그 돈이 아깝지 않았겠는가? 나는 이분이 왜 이처럼 큰 돈을 헌금하셨는지 잘 모른다. 그러나 내가 아는 것이 딱 하나 있다. 그 분이 그 돈을 헌금하기까지 그 과정에서 굉장히 많은 물질 훈련을 해왔을 것이라는 사실이다. 더 비싸고 좋은 것 사고 싶은 것을 절제하는 훈련, 더 좋은 것 먹고 싶은 것을 절제하는 훈련, 이런 훈련이 안 된 사람에게 3천5백만 원 인도를 위해서 헌금하라고 하면 아무도 못한다. 이런 큰 돈을 남을 위해 기꺼이 헌금할 수 있기 위해서는 3천5백 원 절약하는 훈련부터 시작해야 하는 것이다. 이런 훈련을 통해 5천 명분 나 혼자 먹으려는 탐욕을 가진 우리 인생이 5천 명을 먹이는 인생으로 나아가야 하는 것이다.

목표 의식이 절제를 만든다

세 번째로 우리가 절제의 사람이 되기 위해서는 목표 의식이 필요하다.

> 이기기를 다투는 자마다 모든 일에 절제하나니 그들은 썩을 승
> 리자의 관을 얻고자 하되 우리는 썩지 아니할 것을 얻고자 하
> 노라 고전 9:25

누가 절제할 수 있는가? 목표가 있는 사람이 절제할 수 있다. 가끔씩 TV 프로그램에서 열심히 땀 흘리며 올림픽을 준비하는 선수들의 모습을 보여줄 때가 있는데, 그때마다 얼마나 안쓰러운 마음이 드는지 모른다. '아니 저 나이에 다른 친구들은 강남역 나가서 놀고 자기하고 싶은 대로 즐기며 사는데 왜 저 친구들은 저렇게 힘들게 살아야 하는 거야?' 하는 생각이 들 때도 있다. 그 선수들이 그렇게 사는 것이 누가 강제로 시켜서 되는 것인가? 그들이 고통을 감내할 수 있는 힘, 그 절제의 힘은 '내가 이 힘든 훈련을 소화하면 나도 메달을 딸 수 있다'는 목표 의식에서 나오는 것이다.

이런 면에서 오늘날 그리스도인의 모습이 정말 부끄러울 때가 많다. 우리가 탐욕적이라는 것은 우리 안에 거룩한 목표가 없다는 이야

기가 된다. 사람의 칭찬도 중요하지만 우리의 인생이 끝나는 날, 주인 되시는 예수 그리스도께 "잘하였도다"라는 칭찬과 함께 받을 상급을 바라볼 때 우리는 절제하는 삶을 살아가게 될 것이다. 우리 모든 그리스도인이 그런 삶을 살 수 있기를 바란다.

그러자면 반드시 성령님을 사모해야 한다. 성령님을 사모해야 성령의 열매인 절제를 선물로 받을 수 있다. 우리 모두가 성령님을 의지하고 사모하고 성령의 절제가 내 안에 자리 잡는, 참으로 아름다운 하나님의 사람이 되기를 간절히 바란다. 그리고 그 삶을 통해 성령의 열매를 세상에 드러내고 증거하는 진정한 하나님의 사람들이 다 되기를 바란다.

절제가 성령의 열매를 온전하게 한다

절제는 성령의 아홉 가지 열매 가운데 9분의 1에 해당하는 정도의 열매가 아니다. 절제가 아홉 가지 열매 모두를 아우른다. 한번 생각해 보자. 성령의 열매 가운데 가장 먼저 언급된 것이 사랑이고, 가장 마지막에 언급된 것이 절제이다. 그리고 성령의 열매는 아홉 가지로 복수로 표현되어 있지만, 갈라디아서 5장 22절을 원어로 보면 '성령의 열매'가 복수가 아닌 단수로 표현되어 있다.

이 모든 것을 종합해보면 무슨 결론이 나오는가? 성령의 열매라는 것이 '사랑'이라고 하는 열매 안에 여덟 가지 양상으로 나타나는 것이며, 또한 이 성령의 열매는 '절제'라고 하는 항목의 통제를 받아야만 제대로 된 열매라는 것이다.

'사랑'이 얼마나 귀한 것인가? 그러나 '사랑'도 '절제'에 의해 통제받지 않으면 흉기가 될 수 있다. 후배 목사가 20여 년 전에 겪은 일이다. 그 후배 목사는 실력도 물론 좋았지만 인상도 좋고 성격과 매너가 좋아서 사람들에게 인기가 많았다. 그러다 그 후배 목사에게 호감을 표현하는 한 자매가 생겼다.

그런데 문제가 생겼다. 그 자매의 사랑이 성령의 열매인 절제로 통제되지 않다 보니 점점 집착으로 변해버린 것이다. 전화를 안 받으면 받을 때까지 열 통이고 백 통이고 계속 전화를 하고, 집에 있는 전화기 자동응답기에도 그 자매의 목소리로만 꽉 차 있었다. 한번은 자기 집의 유리창이 깨져 있어서 깜짝 놀라 들어가 봤더니 그 자매가 유리를 깨고 집안에 들어가 있는 것이 아닌가? 그 후배 목사가 얼마나 놀랐겠는가? 어떤 때는 그 자매가 열쇠수리공을 불러서 그 후배 목사의 집에 문을 따고 들어가기도 하고 밤늦은 시간에 소리를 지르며 문을 두드리기도 했다고 한다. 후배 목사는 견디다 못해 미국으로 유학을 떠나버렸다.

내가 알기로 그 자매가 원래 그런 사람이 아니었다. 굉장히 온순하고 또 실력 있는 엘리트였다. 그 좋은 성품을 가진 자매가 '사랑'이라고 하는 아름다운 열매를 맺었는데, 왜 이런 결과가 초래되었는가? 아무리 아름다운 사랑일지라도 절제로써 통제되지 않으면 위험하다는 것이다.

그렇기 때문에 우리는 반드시 이 사실을 기억해야 한다. 아무리 좋은 것, 선한 일에도 절제가 필요하다는 사실이다. 사실 많은 그리스도인들이 어느 정도 훈련을 거쳐서 나쁜 일에 대해서는 비교적 절제를 잘한다. 나 같은 경우에는 술이나 담배 같은 것에 대해서는 본능적으로 절제가 이루어진다. 그런데 우리가 간과하기 쉬운 것 중에 하나가 나쁜 일에도 절제가 필요하지만, 좋은 일에도 절제가 필요하다는 사실이다. 성령의 열매조차도 절제에 의해 통제되지 않으면 온전해질 수 없다.

우리 교회 초창기에 한 목사님이 오셔서 부흥회를 인도해준 적이 있는데, 그때 목사님이 설교를 하다가 맨 앞에 앉은 나를 보고 이런 말씀을 하셨다.

"목사님, 교회 일 너무 열심히 하지 마시기 바랍니다."

처음에는 무슨 뜻인지 몰라 어리둥절했다. 그랬더니 하시는 말씀이, 목사들이 교회 일에 너무 열심을 내서 나중에는 교회에 인간적인 미련을 가지고 교회를 오히려 어렵게 만든다는 것이다. 그만큼 좋은 일에도 절제가 없으면 어려움이 일어난다는 것이다.

절제를 통해 조화를 이루어내라

그런가 하면 절제의 기능과 관련하여 한 가지 더 기억해야 할 것은, 절제는 보통 어떤 것을 하지 말고 참는 것과 관련하여 소극적인 의미로 사용되는데, 거기서 더 나아가 '무엇을 하라'는 적극적인 의미로까지 연결되어야 한다는 것이다. 절제로 다른 여덟 가지 열매를 점검하면서 과한 것은 다듬고, 반대로 내게 약한 열매는 적극적으로 끌어올려서 전체적으로 올바른 균형을 이루는 데까지 나아가야 한다는 것이다. 어떤 사람을 보면, 어느 것 하나는 정말 탁월한데 다른 것 때문에 무너지는 경우를 볼 수 있다. 예를 들어, 돈에는 정말 욕심 없는 어떤 사람이 여자 문제로 넘어지는 경우처럼 말이다. 이런 경우 '절제'라는 열매를 통해 나머지 여덟 가지 열매의 균형을 맞추는 것, 그리하여 전반적으로 균형을 이루는 삶을 영위하는 것이 필요하다.

절제의 유익에 대해서 최근의 경험을 통해 새삼스럽게 다시 깨닫게 된 일이 있다. 2012년 5월 13일에 분당우리교회 10주년 기념음악회를 열었는데, 그때 많은 전문가들이 혀를 내둘렀다. 한 교회에서 주최한 음악회가 어떻게 이렇게 질서정연하고 수준 높은 공연이 될 수 있었느냐고 말이다. 이것이 어떻게 가능했는지 아는가? 절제를 아는 지도자 한 사람 때문이었다.

그날 행사를 총 지휘한 분이 노래 〈개똥벌레〉로 유명한 신형원 집사님이었는데, 이분이 발로 뛰어다니면서 유명한 연예인이나 음악가들을 많이 섭외했다. 그런데 모시기 힘들다는 그 출연자들을 모아놓고 단호하게 한마디 했다.

"앙코르 없습니다!"

그중의 한 팀이 요즘 인기 높은 울라라세션이었는데, 그 팀의 공연이 끝나자 정말 많은 팬들이 열광하면서 "앙코르"를 외쳤다. 그때 갑

자기 신형원 집사님이 후다닥 뛰어가더니 "앙코르 금지"라고 쓰인 종이 한 장을 들어 보였다.

인기 있는 가수가 사람들의 호응에 힘입어서 앙코르를 좀 하는 게 뭐가 잘못된 일인가? 그런데 그 분 말씀이, 처음부터 늘어지기 시작하면 뒤로 갈수록 제대로 된 공연이 이뤄지기 어렵다는 것이다. 개개인은 조금 서운하고 불편할지라도 공연의 전체적인 균형과 완성도를 위해서는 철저히 절제해야 한다는 것이다. 그날 그 음악회의 성공은 이처럼 출연자 한 사람 한 사람을 절제의 자리로 이끌었던 절제를 아는 한 지도자의 수고에 있었음을 알 수 있었다.

나는 그 모습을 보면서 이 시대 한 교회의 담임목사로서 내가 무엇을 해야 하는지 깨닫게 되었다. 한 가정의 가장으로서 내가 해야 할 일을 깨닫게 되었다. 한 인생을 영위해나가는 우리 모두에게 필요한 것은 '절제'이다. 아무리 좋고 아무리 유익한 일이라도 하나님 앞에서 절제하는 훈련을 계속할 때 그 훈련을 통해서 조화로운 인생이 될 줄 믿는다.

혹시 절제가 안 된다고 느끼는 사람이 있는가? 성령님을 의지하기 바란다. 절제는 성령의 열매이다. 좋은 일이건, 그렇지 않은 일이건 성령님을 의지하여 아름다운 절제의 열매를 맺는 우리 모두가 되기 바란다.

삶으로 증명하라

초판 1쇄 발행	2012년 8월 20일
초판 4쇄 발행	2012년 9월 10일
지은이	이찬수
펴낸이	여진구
책임편집	이영주
편집 1실	안수경, 박민희, 김소연
편집 2실	김아진, 최지설, 유혜림, 김수미
기획·홍보	이한민
책임디자인	이혜영, 마영애	전보영, 정해림
해외저작권	김나은
마케팅	김상순, 강성민, 허병용, 이기쁨
마케팅지원	최태형, 최영배, 이명희
제작	조영석, 정도봉
경영지원	김혜경, 김경희
이슬비전도학교	엄취선, 전우순, 최경식
303비전성경암송학교	박정숙, 정나영, 정은혜
303비전장학회 & 303비전꿈나무장학회	여운학
펴낸곳	규장

주소 137-893 서울시 서초구 양재2동 205 규장선교센터
전화 02)578-0003 팩스 02)578-7332
이메일 kyujang@kyujang.com 홈페이지 www.kyujang.com
트위터 twitter.com/_kyujang 페이스북 facebook.com/kyujangbook
등록일 1978.8.14. 제1-22

ⓒ 저자와의 협약 아래 인지는 생략되었습니다.
이 출판물은 저작권법에 의해 보호를 받는 저작물이므로 무단 전재와 무단 복제를 할 수 없습니다.

책값 뒤표지에 있습니다.
ISBN 978-89-6097-268-1 03230

규 | 장 | 수 | 칙

1. 기도로 기획하고 기도로 제작한다.
2. 오직 그리스도의 성품을 사모하는 독자가 원하고 필요로 하는 책만을 출판한다.
3. 한 활자 한 문장에 온 정성을 쏟는다.
4. 성실과 정확을 생명으로 삼고 일한다.
5. 긍정적이며 적극적인 신앙과 신행일치에의 안내자의 사명을 다한다.
6. 충고와 조언을 항상 감사로 경청한다.
7. 지상목표는 문서선교에 있다.

하나님을 사랑하는 자 곧 그의 뜻대로 부르심을 입은 자들에게는 모든 것이 合力하여 善을 이루느니라(롬 8:28)

Member of the
Evangelical Christian
Publishers Association

규장은 문서를 통해 복음전파와 신앙교육에 주력하는 국제적 출판사들의
협의체인 복음주의출판협회(E.C.P.A:Evangelical Christian Publishers
Association)의 출판정신에 동참하는 회원(Associate Member)입니다.